2000 MOST COMMON TURKISH WORDS IN CONTEXT

Get Fluent & Increase Your Turkish Vocabulary with 2000 Turkish Phrases

Turkish Language Lessons

www.LingoMastery.com

ISBN: 978-1-951949-17-4

INTRODUCTİON

Have you ever heard of Turkish being one of the most complicated languages in the world? Well, we're not going to tell you it isn't—we're just offering a fun and efficient way to expand your vocabulary. We believe that learning a language should be associated with the pleasure of rewarding mental activity and the joy of discovering another culture rather than with the stress inherent to endless grammar drills.

Just remember a situation when you heard a foreigner say a few words in your language. Were you embarrassed by a wrong verb ending or some other mistake? No, you were happy they communicated with you in your mother tongue. The same thing is true for Turkish-speaking people! Don't get us wrong—grammar really is very important but we don't want it to deprive you of the sense of achievement you get when you can express yourself in a language you're learning, and be understood by others.

At first sight the format of the book may resemble that of a dictionary, but it's far better than that. Unlike in a dictionary, this book includes only the most frequently occurring words, and those that have the greatest potential to be helpful.

Just look at these three amazing stats found in a study done in 1964:

- Learning the first thousand (1000) most frequently used words of a language will allow you to understand 76.0% of all non-fiction writing, 79.6% of all fiction writing and an astounding 87.8% of all oral speech.

- Learning the top two thousand (2000) most frequently used words will get you to 84% for non-fiction, 86.1% for fiction, and 92.7% for oral speech.
- Learning the top three thousand (3000) most frequently used words will get you to 88.2% for non-fiction, 89.6% for fiction, and 94.0% for oral speech.

Look at these numbers once again and imagine what you could do once you've thoroughly read and practiced what this book contains. We're providing you with two thousand of the most frequently used words—equivalent to an understanding of 92.7% of oral speech!

We achieve this not only by giving you a long list of words; there must be context to allow the words to sink in, and we provide that. Each of the terms will be listed with its translation in English and two example sentences, one in each language, allowing you to study the use of each word in a common, accessible manner. We have ordered the terms according to their largest number of occurrences in common media, allowing you to begin with the simplest and most regularly-used words first before moving on to the less-used ones.

One more striking difference from a dictionary is in the transcription. We know that the Turkish alphabet has given many learners a hard time. We came up with a special way of transcribing words for you—the transcription is free from complicated signs in an Oxford dictionary style. It's a combination of transliteration and conventional signs used for transcription (read transcription notes section below).

Although we'd love to begin right away with helping you learn the vocabulary we've provided in this book, we've got a few tips and recommendations for getting the most out of this book.

Recommendations for readers of 2000 Most Common Words in Turkish:

- An example you read can be transformed into an example you write. Why not try to practice the words we provide you with by using them in your own sentences? If you master this, you will not only be practicing your vocabulary, but also the use of verbs, nouns and sentences in general.
- Why limit yourself to 2000 words? While you're reading this book, you can always find 2000 more not-so-frequently-used words and practice them as well!
- Grab a partner or two and practice with them. Maybe it's your boyfriend/girlfriend, your roomie or even your parents; learning in groups is always easier than learning alone, and you can find somebody to practice your oral speech with. Just make sure they practice as hard as you do, since you don't want a lazy teammate here!
- Use the vocabulary you've learned to write a story and share it with others to see how good (or bad) it is! Find help from a native speaker and let them help you improve your skills.
- In translation of words you may note that some words are separated by ',' and others are separated by ';'. Be attentive: the former one is for synonyms and the latter one is for completely different words.

TRANSCRİPTİON NOTES

C c – /dʒ/ sound, pronounced as 'j' in "jar" and "joke".

Ç ç – /ʧ/ sound, pronounced as 'ch' in "church" and "cheese".

Ğ ğ – Not pronounced; lengthens preceding vowel slightly.

I ı – /ɯ/ sound, as 'e' in "open" and "water"

İ i – /i/ sound. It is different than undotted 'I', pronounced as 'i' in "sit" or 'ee' in "feet".

J j – /ʒ/ sound, pronounced as 's' in "pleasure".

Ö ö – /ø/ sound, pronounced as 'u' in "turn" and "nurse", with lips rounded.

U u – pronounced as 'oo' in "zoo"

Ü ü – /y/ sound, as 'ew' in "stew".

Ş ş – /ʃ/ sound, as 'sh' in "shell" and "show".

That is it! No super complex signs that look like Ancient Egyptian hieroglyphs.

A FEW GRAMMAR NOTES

As you probably know, Turkish is an agglutinative language in which words may contain different morphemes to determine their meanings. To help you to get a better understanding we've used root words with affixes glued to them. For example:

ayakkabılarım – my shoes => ayakkabı (shoe) + lar (plural) + ım (possessive)

This formula will help you to understand the meaning of words and the role of affixes throughout the book.

Other than that, the verb is the most important component of the sentence in Turkish, as it carries all the essential information. Therefore, it is also good to know about two main auxiliary verbs in Turkish that you might come across: *etmek (to do)* and *olmak (to be)*. These verbs are not usually used alone as a verb and they need a noun to form compound verbs. In most cases, compounds correspond to a single verb in English:

{devam} **etmek** = to continue / {memnun} **olmak** = to please

{tamir} **etmek** = to repair / {pişman} **olmak** = to regret

{yardım} **etmek** = to help / {sebep} **olmak** = to cause

Examples above will help you to understand the auxiliary verbs better.

That is it! Go step by step—learn the words, practice them and you'll prepare a background for mastering grammar. But that's a different story.

ABBREVİATİONS

adj	*adjectives* used to qualify, quantify or modify nouns
adv	*adverbs* functioning to qualify, quantify or modify verbs
aux	*auxiliaries* used after certain nouns to make verbs
conj	*conjunctions* used to connect words, phrases or clauses
interj	*interjections* colloquially used to express feelings or emotions
interr	*interrogatives* used to form questions
n	*nouns* which refer to names of people, concepts or objects
num	*numerics* used to quantify the following noun(s)
poss	*possessives* used to form possession or belonging references
postp	*postpositions* functioning as temporal, spatial or referential units which are placed always *after* words and meaningless on their own
prep	*prepositions* functioning as temporal, spatial or referential units which are placed always *before* words and meaningless on their own
pron	*pronouns* referring to or standing for subjects or nouns
ptcp	*participles* derived from verbs to qualify, quantify or modify nouns (as *verbal adjectives*), verbs and other adjectives (as *verbal adverbs*)
suf	*suffixes* attached at (often) word-final position to express case, quantity, quality and subject roles
v	*verbs* expressing actions, happenings or states of being

THE 2000 MOST COMMON
WORDS IN TURKISH

Here are your 2000 Turkish words. As previously stated in the **Introduction,** these are arranged by their frequency of use in both written and spoken Turkish. Feel free to rearrange them during your practice as you encounter the words in your reading, watching or listening to Turkish media, or in conversation with Turkish people.

1. ve [conj] *and*

Ankara **ve** İstanbul Türkiye'nin büyük şehirlerindendir.
Ankara **and** Istanbul are some of Turkey's larger cities.

2. bir [adj] *one*

Bugün ben sadece **bir** dilim ekmek yedim.
I only ate **one** slice of bread today.

3. bu [pron] *this*

Bu benim arabamın aynısı.
This is the same as my car.

4. da [conj] *also* (-de / -da is added according to the vowel in the last syllable. It can also refer to location when used as a suffix.)

Ezgi dedi ki Osman **da** bizimle gelecekmiş.
Ezgi said that Osman was coming with us **also.**

5. de [conj] *also* **(a variation of "da". It also may refer to location when used as a suffix.)**

Kediler iyi avcılardır ama köpekler **de** iyi avcılardır.

Cats are good hunters, but dogs are **also** good hunters.

6. için [postp] *in order to*

Peynir almak **için** markete gittim.

I went to the market **in order to** get cheese.

7. ile [conj] *and*

Siyah **ile** beyaz zıt renklerdir.

Black **and** white are opposite colors.

8. çok [adj] *a lot*

O kadar **çok** kuşu var ki artık onlara bakamıyor.

She has such **a lot** of birds that she can't take care of them anymore.

9. olarak [ptcp] *as*

Beş senedir benim aşçım **olarak** çalışıyor.

He has been working **as** my cook for five years.

10. daha [adv] *more*

Soğuk havada bir kat **daha** giymelisin.

In cold weather you should put on one **more** layer.

11. olan [pron] *one; somebody*

Kalemi **olan** var mı?

Does any**one** have a pencil?

12. gibi [postp] *like*

Bu havuzun suyu deniz suyu **gibi** tuzlu.

This pool's water is salty **like** sea water.

13. en [adv] *most*

En okunabilir olanı onun el yazısı.

She has the **most** readable handwriting.

14. her [adj] *each*

Her evi delil bulmak için arayacaklarmış.

They are going to search **each** house to find evidence.

15. o [pron] *he/she/it* (The third-person singular pronoun is gender-neutral.)

O beni köye götürdü.

He/she took me to the village.

16. ne [pron] *what*

Onun burada işi ne?

What is he/she doing here?

17. kadar [postp] *until*

Doyuncaya kadar yedim.

I ate until I was full.

18. ama [conj] *but*

Ben kendimi yaşlı sanıyordum ama sen benden daha yaşlısın.

I thought I was old, but you are older than me.

19. sonra [postp] *after*

Dersten sonra yemek yemeye gideceğiz.

We are going to go to dinner after the lesson.

20. -nin [poss] *of*

Veli'nin babasını yeni gördüm.

I just saw the father of Veli.

21. ise [conj] *if*

Bu bardak plastik **ise** yere düşünce kırılmaz.
If this cup is made of plastic it won't break when it falls.

22. ya [conj] *either*

Ya sen bize gelirsin **ya** da dışarıda buluşuruz.
Either you come to our place or we'll meet outdoors.

23. ki [adj] *that*

Orada**ki** çantayı bana verir misin?
Could you give me **that** bag over there?

24. Türkiye [n] *Turkey*

Bu yaz **Türkiye**'ye tatile gitmek istiyorum.
I want to go to **Turkey** this summer for a vacation.

25. var [adv] *there is*

Cebimde bir avro **var**.
There is one euro in my pocket.

26. -in [poss] *of* (possessive pronouns change according to the vowel in the last syllable.)

Ali'**nin** kızını Veli'yle evlendirdiler.
They married the daughter **of** Ali to Veli.

27. büyük [adj] *large*

Karşıda **büyük** bir gemi duruyor.
There is a **large** ship across there.

28. -ın [poss] *of* (This possessive pronoun changes according to the vowel in the last syllable.)

Aslan**ın** ziyafetini vahşi köpekler kaptı.
Wild dogs stole the feast **of** the lion.

29. yeni [adj] *new*

Onun **yeni** ceketi cok pahalıymış.
His **new** jacket is very expensive.

30. ilk [adj] *first*

Bebek **ilk** adımını attı.
The baby took its **first** step.

31. -a [suf] *to (used to form dative case)*

Bu hafta pazar**a** gitmek lazım.
We should go **to** the bazaar this week.

32. olduğu [ptcp] *as*

Mümkün **olduğu** kadar hızlı geldim.
I came **as** fast **as** possible.

33. zaman [n] *time*

Zaman ne kadar hızlı geçiyor!
How **time** flies!

34. iyi [adj] *good*

Börek yapmak için **iyi** peynir seçtim.
I chose a **good** cheese to make pie.

35. ben [pron] *me*

Kapıyı **ben** çaldım.
It was **me** knocking on the door.

36. olduğunu [ptcp] *that (it was)*

Bana uzun zaman **olduğunu** söyledi.
He told me **that** it had been a long time.

37. değil [n] *not*

Yalan söylemek doğru **değil**.
It is **not** right to lie.

38. son [n] *end/ending*

Filmin **sonunu** merak ediyorum.
I am curious about the movie's **ending**.

39. iki [adj] *two*

Günde **iki** kere dişlerimi fırçalarım.
I brush my teeth **two** times a day.

40. göre [postp] *than*

Eskiye **göre** daha fitim.
I am more fit **than** I used to be.

41. -nın [poss] *'s (used to transfer nouns to their possessive form)*

Leyla'**nın** yeni elbisesi çok güzel.
Leyla'**s** new dress is very pretty.

42. veya [conj] *or*

Evin eski **veya** yeni olması fark etmez.
It doesn't matter if the house is old **or** new.

43. ancak [conj] *but*

Gelecekler, **ancak** biraz geç kalacaklar.
They will come **but** they will be a little late.

44. tarafından [postp] *by*

Öğretmen **tarafından** uyarıldım.
I was warned **by** the teacher.

45. önce [adv] *before*

Öğleden **önce** işlerimi bitirmiştim.

I had finished my work **before** noon.

46. diye [conj] *because*

Elif, biz fazla konuşuyoruz **diye** sıkılmış.

Elif was bored **because** we were talking too much.

47. içinde [adv] *in*

Köyün **içinde** bir fırın var.

There is a bakery **in** the village.

48. tüm [adj] *all*

Tüm gençler basketbol oyununa katıldılar.

All the young people joined in the basketball game.

49. kendi [pron] *himself / herself*

Arif **kendisi** gibi bir arkadaş arıyor.

Arif is looking for a friend similar to **himself**.

50. aynı [adv] *same*

Burada her şey **aynı** görünüyor.

Here everything looks the **same**.

51. önemli [adj] *important*

Önemli bir işim olduğu için gelmedim.

I didn't come because I had an **important** job to do.

52. ilgili [adj] *interested*

Çocuklar derse çok **ilgili** değiller.

The children are not very **interested** in the lesson.

53. yer [n] *place*

Hiçbir **yer** burası kadar güzel değil.
No **place** is as nice as it is here.

54. sadece [adv] *only*

Ona **sadece** bir saat süreceğini söyledim.
I told him that it would **only** take an hour.

55. hem [adv] *plus*

Orhan'ın evi **hem** çok pahalı **hem** de küçük.
That house is very expensive **plus** it's small.

56. yok [postp] *not*

Kasada bugün para **yok**.
There is **not** any money in the till today.

57. şekilde [adv] *(in the) way*

Bu **şekilde** davranırsan ceza alırsın.
If you act this **way** you will be punished.

58. diğer [adj] *other*

Balıkçı **diğer** bota bindi.
The fisherman got into the **other** boat.

59. devam [n] *continue*

Film **devam** etmedi.
The movie did not **continue**.

60. gün [n] *day*

Tatile kaç **gün** kaldı?
How many **days** left until the holidays?

61. Türk [n] *Turk*

Uçakta sadece **Türk** yolcular vardı.
There were only **Turk** passengers on the plane.

62. arasında [postp] *between*

Yastıkların **arasında** parlayan bir şey var.
There is something shining **between** the pillows.

63. yıl [n] *year*

Dört **yıl** sonra mezun olacakmış.
She is going to graduate four **year**s later.

64. bile [conj] *even*

Çok hızlı koşuyor, onu bisikletle **bile** geçemiyorlar.
He runs very fast; they cannot **even** pass him on a bike.

65. karşı [adj] *across from*

Karşı evde bir hanımefendi yaşıyor.
A lady lives in the house **across from** here.

66. başkanı [n] *head of*

Sınıf **başkanı** olduğuma sevindim.
I am glad that I'm the **head of** class.

67. hiç [adv] *ever*

Bunu hiç düşündün mü?
Have you **ever** thought about this?

68. -e [suf] *towards* (added to a noun to form locative case)

Sahile doğru yürü, bizi görürsün.
Walk *towards* the seaside, you'll see us.

69. nasıl [adv] *how*

Buraya **nasıl** geldin?
How did you get here?

70. genel [adj] *general*

Genel olarak hayvanlar hakkında konuşabilirim.
I can talk about animals in **general**.

71. tek [adj] *only*

Tek bir gözümüz olsaydı iyi göremezdik.
We would not be able to see well with **only** one eye.

72. oldu [v] *became*

Birden her şey pembe **oldu**.
All of a sudden everything **became** pink.

73. şey [n] *thing*

En önemli **şey** sağlık.
The most important **thing** is health.

74. fazla [adv] *too*

Bu iş bana **fazla** zor geldi.
I feel that this job is **too** hard for me.

75. birlikte [adv] *together*

Babamla kardeşim **birlikte** tatile gittiler.
My father and brother went on holiday **together**.

76. böyle [adv] *like this*

Ben **böyle** çalışmaya alışkın değilim.
I am not used to working **like this**.

77. bunun [adv] *this is*

Ben **bunun** için sinirlendim.
This is why I got angry.

78. başka [adj] *another*

Onların **başka** bir siparişi yokmuş.
They do not have **another** order.

79. yapılan [ptcp] *made*

Yeni **yapılan** bütün binalar depremde çökmüş.
All the newly **made** buildings collapsed during the earthquake.

80. bütün [adj] *all*

Bütün notlarım iyi geldi.
All my grades were good.

81. dedi [v] *said*

Acaba kim **dedi**?
I wonder who **said** so?

82. eden [ptcp/pron] *does*

Her **eden** bulur.
Whoever **does** something will face the consequences.

83. çünkü [conj] *because*

Pazara gitmedim **çünkü** evde çok yemek vardı.
I did not go to the market **because** there was too much food at home.

84. yani [adv] *so, in a word, in other words*
Yarın sınavım var, **yani** bu akşam ders çalışmam lazım.
I have got an exam tomorrow, **so** I have to study tonight.

85. güzel [adj] *beautiful*

Her çocuk **güzel**dir.
All children are **beautiful**.

86. bu [adj/pron] *this*

Sen **bu**nu dükkana götür.
You take **this** to the shop.

87. şu [adj/pron] *this*

Şu şişeyi güneşli bir yere koy.
Put **this** bottle in a sunny spot.

88. gelen [ptcp] *coming*

O, her **gelen** misafire çay ikram eder.
He offers tea to each **coming** visitor.

89. insan [n] *person*

İyi **insan** olmak için çabalıyorum.
I am trying to be a good **person**.

90. iş [n] *job*

Günde bir **iş** yapabiliyorum.
I can do one **job** a day.

91. biz [pron] *we*

Biz çok iyi arkadaşız.
We are very good friends.

92. bazı [adj] *some*

Bazı zamanlar ona dayanamıyorum.
Sometimes I cannot stand her.

93. doğru [adj] *right*

Sınavdaki yanlış cevaplarım **doğru**larımdan fazlaydı.

My wrong answers were more frequent than my **right** answers.

94. yine [adv] *again*

Yine geç kaldı işe!

She is late for work **again**!

95. -un [poss] *'s*

Orhun'**un** iş yeri yeni açılmış.

Orhun'**s** workplace just opened recently.

96. ortaya [adv] *center*

Ortaya kocaman bir tabak koydu.

He put a large plate in the **center**.

97. -ye [suf] *to/at* (same as the suffix -e, used when the preceding sound is a vowel)

Hediye**ye** mutlulukla baktı.

She looked **at** the gift with joy.

98. -i [poss] *'s*

Teoman'ın kalem**i** kırıldı.

Teoman'**s** pencil broke.

99. artık [adv] *now/from now on/no longer*

Artık geri dönmek için çok geç.

It's too late to turn back **now**.

100. özel [adj] *special*

Özel günlerde ailelerimizle olmak isteriz.

We like to be with our families on **special** days.

101. olması [ptcp] *to be*

Böyle **olması** gerekir miydi?
Did it have **to be** this way?

102. sahip [n] *owner*

O kedinin **sahib**i yok.
That cat does not have an **owner**.

103. üzerine [postp] *upon*

Kitabını masanın **üzerine** koy.
Put your book **upon** the table.

104. olmak [v] *occur; become* (the root is -ol, this takes on different tenses like -du for past tense)

Bu hafta iki kere fırtına **ol**du.
This week two storms **occurred**.

105. eğitim [n] *education/training*

Bilgisayar **eğitim**i için okula gitti.
She went to school to get computer **training**.

106. İstanbul [n] *Istanbul*

İstanbul eskiden başkentti.
Istanbul used to be the capital city.

107. olur [v] *can be/will be*; used to give an affirmative answer

Senin yemeğin yarışmada birinci **olur**.
Your dish **will be** given first place in the competition.

108. farklı [adj] *different*

Ben senden **farklı** değilim.
I am no **different** than you.

109. bin [num] *a thousand*

Bin kere özür diledim.
I apologized **a thousand** times.

110. mi [interr] *right?/is it?*

Bugün Perşembe değil **mi**?
Today is Thursday, **right?**

111. benim [pron] *my*

Benim silgim iyi silmiyor.
My eraser does not erase well.

112. onun [poss] *his/her/its*

Onun kendi arabası var.
She has **her** own car.

113. Allah [n] *God*

Allah senden razı olsun!
May **Allah** be pleased with you!

114. etti [v] *did*

Teklifimi kabul **etti**.
He **did** accept my offer.

115. dünya [n] *world*

Dünya birincisi olmuşum!
I am the **world** champion!

116. üzerinde [postp] *on, above*

Elbisenin **üzerinde** boncuklar var.
There are beads **on** the dress.

117. neden [adv] *why*

Neden saksıyı kaldırdın?
Why did you take away the flowerpot?

118. biri [pron] *somebody*

Biri bisikletimi çalmış!
Somebody has stolen my bike!

119. ayrıca [adv] *also*

Kek yaptım, **ayrıca** kurabiye de var.
I made cake and we **also** have cookies.

120. -dan [suf] *from* (used to form ablative case)

Ankara'**dan** İstanbul'a gittim.
I went **from** Ankara to Istanbul.

121. tam [adj] *full, whole*

Bardağı **tam** doldur.
Fill the **whole** glass.

122. uzun [adj] *long*

Uzun yola çıkarken hazırlık yapmalı.
You should prepare before a **long** trip.

123. üzere [adv] *about*

Kar yağmak **üzere**.
It's **about to** snow.

124. alan [n] *space*

Oynamak için Az **alanım** var.
I do not have much **space** to play in.

125. ifade [n] *expression*

Türkiye'yi görmek istediğini **ifade** etti.
He **expressed** an interest in seeing Turkey.

126. bulunan [ptcp] *situated*

Solunuzda **bulunan** lamba bir antika.
The lamp **situated** to your left is an antique piece.

127. kabul [n] *acceptance*

Yeni kitabım **kabul** gördü.
My new book was well **accepted**.

128. özellikle [adv] *especially*

Özellikle mavi balinaları severim.
I **especially** like blue whales.

129. yüksek [adj] *high*

Kuşlar **yüksek** yerlere konmayı sever.
Birds like to perch on **high** places.

130. yılında [adv] *in the year*

2000 **yılında** evlenmiştik.
We got married **in the year** 2000.

131. -den [suf] *from*

Yunuslar dip**ten** topu aldı.
The dolphins retrieved the ball **from** the deep.

132. vardır [v] *has/there is*

Elinde mutlaka incir **vardır**.
He certainly **has** a fig in his hand.

133. az [adj] *little*

Benim çok **az** gücüm var.
I only have a **little** bit of strength.

134. şimdi [adv] *now*

Ders **şimdi** başlıyor.
The lesson starts **now**.

135. bizim [pron] *our*

Bizim çantamızın sapı kopmuş.
Our bag's handle has broken.

136. devlet [n] *state*

Devlet sana görev vermiş.
The **state** has given you an assignment.

137. yerine [adv] *instead*

Mine'nin **yerine** Aslı gelmiş.
Aslı has come **instead** of Mine.

138. geçen [ptcp] *past; last*

Gelen **geçen** gemilere bakıyorum.
I am watching the ships sailing **past**.

139. bugün [adv] *today*

Bugün herkes tatil yapıyor.
Today everyone is on holiday.

140. yüzde [adj] *percent*

Yüzde yüz başarılı oldu.
She was one hundred **percent** successful.

141. hiçbir [pron] *no one*

Hiçbir kimse onu sevmiyor.
No one likes him.

142. eğer [conj] *if*

Eğer gelmezsen sonucu bildirmezler.
If you do not come, they will not announce the result.

143. onu [pron] *him/her*

Onu hiç kimse affetmedi.
Nobody pardoned **him**.

144. fakat [conj] *but*

Ona yardım ederdim **fakat** çok yorgunum.
I would have helped him, **but** I am very tired.

145. Avrupa [n] *Europe*

İstanbul'un yarısı **Avrupa'dadır**.
Half of Istanbul is in **Europe**.

146. söz [n] *word, saying*

Her duyduğun **söz**e inanma.
Don't believe every **word** you hear.

147. burada [adv] *here*

Burada fazla kalamayız aslında.
Actually, we can't stay **here** for very long.

148. hakkında [adv] *about*

Yemek pişirmek **hakkında** fazla bilgim yok.
I do not know much **about** cooking.

149. yaptığı [ptcp] *makes*

Annemin **yaptığı** kurabiyeler daha güzel.
The cookies my mother **makes** are nicer.

150. konusunda [adv] *in the area of/about (the topic of)*

Matematik **konusunda** uzman birisidir.
She is an expert **in the area of** mathematics.

151. söyledi [v] *he/she said*

O, benzinimizin bittiğini **söyledi.**
He said that we are out of gas.

152. bana [pron] *for me*

Ankara'dan **bana** güzel bir çanta almış.
She got a lovely bag **for me** from Ankara.

153. -un [poss] *his/her*

Onun arabası hepimizi almaz.
His car will not hold all of us.

154. kişi [n] *body, person*

Tercihler **kişiye** göre değişir.
Every **person** has their own taste.

155. eski [adj] *old*

Eski çamlar bardak oldu. (saying)
The **old** pines have turned into cups.

156. biraz [adj] *some*

Hamura **biraz** su biraz da un katın.
Add **some** water and **some** flour to the dough.

157. olsun [v] *let it be*

Bu oda harika, benim **olsun**.

This room is great, **let it be** mine.

158. hemen [adv] *at once*

Hemen buraya gelmezsen çok kızarım!

If you don't come here **at once**, I'll be very mad!

159. mı [interr] *did*

Baban gerekli malzemeleri aldı **mı**?

Did your father get the ingredients that I needed?

160. küçük [adj] *little*

Küçük bey sonunda uyanabildi!

The **Little** Lord has finally awoken!

161. belediye [n] *city hall*

Seni **Belediye**'nin arkasında bekleyecekler.

They will wait for you behind **City Hall**.

162. olacak [adj] *going to happen*

Ne **olacak**sa olsun artık dedim!

I said whatever's **going to happen** should just happen!

163. kez [adv] *time*

İlk **kez** oluyor böyle bir şey.

This is the first **time** that something like this ever happened.

164. bilgi [n] *information*

Yüzyılımızda **bilgi**ye ulaşmak artık daha kolay.

It is easier to reach **information** now in our century.

165. ardından [postp] *after*

Gidenin **ardından** su atmak bizim adetimizdir.
It is our custom to spill water **after** someone leaves.

166. su [n] *water*

Yeraltında **su** bulunduğunu öğrendiğimde çok şaşırmıştım.
I was amazed to learn that there was **water** underground.

167. işte [interj] *see*

İşte, gördün mü, seni geçtim!
See, I told you I would pass you!

168. ikinci [adj] *second*

Türkiye **İkinci** Dünya Savaşı'na katılmadı.
Turkey did not take part in the **Second** World War.

169. sosyal [adj] *social*

O **sosyal** faaliyetlere katılmayı hiç sevmez.
He does not enjoy taking part in **social** activities.

170. etmek [v] *to do*

İnsanlara iyilik **etmek** hoşuma gider.
I like **to do** good to people.

171. zaten [adv] *anyway*

Zaten bugün çalışmayacaktık.
We weren't going to work today **anyway**.

172. birçok [adj] *many*

Birçok konuda onunla hemfikiriz.
We agree on **many** topics with him.

173. pek [adv] *quite*

Bu **pek** önemli bir konu değil.
This is not **quite** an important topic.

174. üç [num] *three*

Üç tane ördek yavrusu büyüttüm.
I raised **three** ducklings.

175. an [v] *remember*

Eskileri **an**maktan bıktım.
I am sick of **remembering** the old days.

176. -I [poss/suf] *his/her*

Onun masası kapının solundan altıncı.
His desk is the sixth one to the left of the door.

177. yol [n] *road*

Yoldan geçen arabaları sayarak kendince eğleniyor.
She entertains herself by counting the cars passing by on the **road**.

178. ABD [n] *USA*

Bu sene **ABD**'ye tatile gitmek istiyoruz.
We want to go to the **USA** this year for a vacation.

179. buna [pron] *(to) this*

Ben **buna** bir türlü inanamıyorum!
I just cannot believe **this**!

180. yapan [adj] *maker*

O dolabı **yapan** kişiyi bulmak istiyorum.
I want to find the **maker** of that cupboard.

181. değildir [v] *is not*

Bu bir yarış **değildir.**
This **is not** a competition.

182. rağmen [postp] *despite*

Yardımlara **rağmen** yine de ayakta kalamadılar.
Despite all the help they got they could not survive.

183. altında [postp] *under*

O katın **altında** yedi kat daha var.
There are seven more floors **under** this one.

184. gün [n] *day*

Haydi bugün mükemmel bir **gün** geçirelim.
Let's have a perfect **day** today.

185. hatta [adv] *in fact*

Ben gencim, **hatta** neredeyse çocuk sayılırım.
I am young, **in fact** I could be considered a child.

186. aslında [adv] *actually*

Aslında o bizim ailemizden sayılır.
Actually, he could be considered part of our family.

187. sağlık [n] *health*

Sağlık her şeyden önce gelir.
Health comes first.

188. kısa [adj] *short*

Kısa bir hikaye yazdım.
I wrote a **short** story.

189. öyle [adv] *that/so*

Öyle ya da böyle, bu iş yapılacak.
This way or **that**, the job must be done.

190. şöyle [adv] *this way/like this*

Ona dişlerini **şöyle** fırçala dedim.
I told him to brush his teeth **this way**.

191. -de [poss/suf] *in his/her*

Onun cebi**nde** çok para var.
There is a lot of money in **his** pocket.

192. ediyor [v] *is doing*

Dostum bana yardım etmek için çok gayret **ediyor**.
My friend **is doing** a lot to help me.

193. geri [adv] *back; the past*

Geri dönmek mümkün müdür?
Is it possible to turn **back**?

194. olsa [adv] *if only*

Kızımız da ev sahibi **olsa** seviniriz.
We would be happy **if only** our daughter had a house too.

195. olabilir [adv] *possibly*

Onlar geç kalmış **olabilir**ler.
They could **possibly** be late.

196. edilen [ptcp] *had been made*

Edilen bütün yeminler yalandı.
All the promises that **had been made** were false.

197. saat [n] *hour*

Kaç **saat** sonra gelirsin?

How many **hours** later will you come?

198. süre [n] *length (of time)*

Gösteri için verdikleri **süre** çok fazlaydı.

The **length of time** they gave for the show was too long.

199. açık [adj] *open*

Ona her zaman **açık** çek veriyorlar.

They always give her an **open** check.

200. yeniden [adv] *again; to restart*

Yeniden tatile gitmek için daha zaman var.

He still has some time before he can go on vacation **again**.

201. milyon [n] *million*

Instagram'da kaç **milyon** takipçin var?

How many **millions** of followers do you have on Instagram?

202. ona [adv] *to him/her*

Ona her zaman her derdini anlatabilirsin.

You can always tell **him/her** about your troubles.

203. ta [prep] *even until*

Ta sabaha kadar ders çalıştı.

She studied **even until** morning.

204. hizmet [n] *service*

Bize çok iyi **hizmet** sundular.

They provided us with very good **service**.

205. il [n] *province*

Türkiye'de seksen bir **il** var.
Turkey is divided into eighty-one **provinces**.

206. hep [adv] *always*

Hep kafasının dikine gider.
She **always** goes her own way.

207. zamanda [adv] *in time*

Zamanda yolculuk yapılabileceğine hep inandım.
I always believed that it is possible to travel **in time**.

208. -da [suf] *in the*

Sonu**nda** başarıya ulaştım.
I found success **in the** end.

209. dikkat [n] *attention*

Dikkat etmeden yolu geçme.
Don't cross the street without paying **attention**.

210. geldi [v] *came*

Bugün amcam evimize **geldi**.
My uncle **came** to our house today.

211. ay [n] *moon; a month*

Ay bu gece çok parlak görünüyor.
The **moon** looks very bright tonight.

212. belki [interj] *might*

Belki yarın pikniğe gideriz.
We **might** go on a picnic tomorrow.

213. parti [n] *party*

Yılbaşı **parti**sine gidelim mi?
Shall we go to the New Year's **party**?

214. kadın [n] *woman*

Kadın olmak hem güzel hem de zordur.
It is both nice and hard to be a **woman**.

215. karar [n] *decision*

Karar vermeden önce çok düşündüm.
I thought a lot before making a **decision**.

216. gerek [n] *need*

Gerek yoktu pasta almanıza.
There was no **need** for you to get a cake.

217. nedeniyle [postp] *due to*

Tadilat **nedeniyle** kapalıyız.
We are closed **due to** construction.

218. beni [pron] *me*

Beni anlamıyorlar!
They don't understand **me**!

219. insanlar [n] *people*

İnsanlar arasında bazen kavgalar olur.
People sometimes quarrel.

220. yakın [n] *near*

Uzak ya da **yakın** fark etmez.
It doesn't matter whether it is **near** or far.

221. milli [adj] *national*

Milli marşımızı çok seviyorum.
I like our **national** anthem very much.

222. içerisinde [prep/postp] *in it, inside*

İçerisinde eşya olan bir ev tutmak ıstıyoruz.
We want to rent a house that has furniture **in it**.

223. bağlı [adj] *attached; dependant*

Zincir salıncağa **bağlı**.
The chain is **attached** to the swing.

224. of [interj] *oh*

Of, çok sıkıldım bunu dinlemekten!
Oh, I'm so bored listening to this!

225. olup [ptcp] *whether*

Evli **olup** olmadığımı sordu.
She asked **whether** I was married or not.

226. gerçek [n] *truth*

Gerçek ortaya çıkmalı.
The **truth** should be revealed.

227. bize [adv] *to us*

Bize yedek anahtar takımı verdi.
She gave a set of spare keys **to us**.

228. olmayan [ptcp] *without*

Bileti **olmayan** giremez.
Those **without** tickets cannot enter.

229. mümkün [adj] *possible*

Mümkün olsaydı aya bile giderdi.
If it were **possible,** she would even go to the moon.

230. tekrar [adv] *again*

Tekrar buraya yerleşmeye karar verdik.
We have decided to settle here **again.**

231. başladı [v] *started*

Gösteri **başladı,** lütfen sessiz olun.
The show has **started,** please be quiet.

232. Ankara [n] *Ankara*

Ankara ülkemizin başkentidir.
Ankara is our country's capital.

233. çocuk [n] *child*

Çocuk denecek yaşta çalışmaya başlamış.
He started working when he was merely a **child.**

234. gereken [ptcp] *needed*

Gereken ilgiyi gösteremediler ona.
They could not give him the attention he **needed.**

235. konusu [n] *...'s topic*

Kitabın **konusu** çok tuhaftı.
The **book's topic** was very strange.

236. konuda [adv] *about this topic*

Bu konuda epeyce bilgim var.
I have quite a lot of knowledge **about this topic.**

237. vardı [v] *had; existed; there was/were*

Üzerinde elbisesi **vardı** ama ayağında ayakkabısı yoktu.
He **had** clothes on him but he didn't have any shoes on his feet.

238. para [n] *money*

Birçok yere **para** dolu kutular saklamış.
She has hidden boxes full of **money** in many places.

239. kurulu [adj] *preassembled*

Kurulu bir dolap almışlar.
They got a **preassembled** cupboard.

240. anda [n] *the instant*

Onun geldiği **anda** bando çalmaya başlamış.
The band started playing **the instant** he arrived.

241. hafta [n] *week*

Haftaya okul açılacak.
School will start next **week**.

242. -de/-te [suf] *in*

Sepet**te** üç elma var.
There are three apples **in** the basket.

243. yönetim [n] *the administration*

Yönetim böyle karar vermiş.
The administration has decided so.

244. -a/-e [suf] *for*

Oğlu**na** çok güzel bir beşik yaptırmış.
He has had a very nice crib made **for** his son.

245. bundan [adv] *from/from this moment*

Bundan böyle bana anne deyin.
From now on call me mother.

246. bunlar [pron] *they; these*

Bunlar kadar çalışkan öğrenci görmedim.
I have not seen such hardworking students as **they** are.

247. durum [n] *situation*

Durum çok da fena değil.
The **situation** is not so bad.

248. size [pron] *for you*

Size göre bir dairemiz yok maalesef.
Unfortunately, we do not have a suitable apartment **for you**.

249. Dr. [n] *Doctor*

Dr. Remzi sizi az sonra görecek.
Doctor Remzi will see you soon.

250. -i [suf] *the*

Silgi**i** her gün kaybediyor.
She loses **the** eraser every day.

251. dışında [adv] *outside*

Köpeği evin **dışında** tutuyor.
She keeps the dog **outside** the house.

252. dolayı [adv] *because*

Senden **dolayı** eve gelmiyorum.
I don't come home **because** of you.

253. -daki [suf] *on the*

Duvar**daki** lekeler çıkmıyor.
The stains **on the** wall cannot be wiped off.

254. çıkan [ptcp] *came up*

Merdivenden **çıkan** kişi benim babammış.
The person who **came up** the stairs was my father.

255. destek [n] *support*

Bize **destek** olsun diye seyretmeye gelmiş.
He came to **support** us by being in the audience.

256. elde [adj] *what we had*

Elde ne varsa sattık.
We sold **what we had**.

257. çeşitli [adj] *various*

Çeşitli örnekler vererek konuyu anlatır.
He explains the topic by giving **various** examples.

258. temel [n] *foundation*

Evin **temel**i çok derin kazılmış.
The house's **foundation** was dug very deep.

259. başkan [n] *head*

Her şeyin **başkan**ı olmaya pek meraklıdır.
She is so eager to be the **head** of everything.

260. merkez [n] *center*

Dünyanın **merkez**i ayağımın altıdır.
The **center** of the world is under my foot.

41

261. genç [adj] *young*

Adam **genç** bir eşek almak istemiş.
The man wanted to get a **young** donkey.

262. hangi [adj] *whichever*

Hangi yöne baksam yıldızları görüyordum.
Whichever way I turned I could see the stars.

263. zor [adj] *difficult*

Zor bir ödev verdim ki beyinlerini biraz çalıştırsınlar.
I gave them a **difficult** task as homework so they would use their brains a little.

264. yönelik [adv] *facing*

Güneşe **yönelik** duran o çiçekler ne hoş!
How lovely are those flowers **facing** the sun!

265. çalışma [n] *study; work*

Çalışma alışkanlığını edinmiş öğrenciler nasıl başarılı olmaz!
How could students who have acquired good **study** habits not be successful!

266. Ali [n] *Ali* (masculine name)

Benim babamın adı **Ali**.
My father's name is **Ali**.

267. siz [n] pl] *you*

Siz neden pazara geç geldiniz?
Why were **you** late to the bazaar?

268. belli [adv] *clear*

Akşam olduğu gölgelerden **belli** oluyor.
It is **clear** that it is evening by looking at the shadows.

269. sen [pron] *you*

Sen sonradan gelebilirsin.
You can come later.

270. ekonomik [adj] *economical*

Ekonomik çabalar olmasa ülke iflas ederdi.
If it wasn't for the **economical** efforts the country would go
bankrupt.

271. ait [adj] *belong*

Kendimi kesinlikle buraya **ait** hissetmiyorum.
I definitely don't feel like I **belong** here.

272. veren [ptcp] *who gives*

Genelde bize çay **veren** adam bugün gelmedi.
The man **who** usually **gives** us tea did not come today.

273. yaklaşık [adj] *about*

Yaklaşık dört saat sonra ilacımı alacağım.
I will take my pills in **about** four hours.

274. yapmak [v] *to do*

Yoga **yapmak** için bir halı aldı.
She got a mat **to do** yoga on.

275. gerçekten [adv] *really*

İnanamıyorum, **gerçekten** elli yaşına mı gelmişim!
Have I **really** turned fifty, I can't believe it!

276. eder [v] *go for*

Bu motor kaç para **eder**?
How much would this motorcycle *go for*?

277. oldukça [adj] *quite*

Oldukça büyük bir duvar o, üstünden tırmanamam.
That is **quite** a big wall, I can't climb over it.

278. herhangi [adj] *any*

Herhangi bir haber duyarsan bize haber ver.
If you hear **any** news please let us know.

279. bi' [abbr] *some (abbreviation of one "bir")*

Abi, bi' ekmek parası versene!
Bro, please give me **some** money for food!

280. konu [n] *topic*

Bu konuda konuşmak istemiyorum.
I do not want to talk about this **topic**.

281. kendisini [pron] *himself/herself*

Kendisini gereğinden fazla seviyor.
He loves **himself** more than necessary.

282. gerekir [v] *should be*

"Böyle olması gerekir," dedi.
He said that it **should be** this way.

283. gelir [v] *comes*

Her gün gelir, dersini verir.
He **comes** each day and gives a lecture.

284. kötü [adj] *bad*

Bence durum o kadar da kötü değil.
I don't think the situation is that **bad**.

285. oluyor [v] *happens*

Hep onun öngördüğü **oluyor**.
Whatever she says **happens**.

286. tarih [n] *history*

Türk **tarih**ini öğreniyorum.
I am learning about Turkish **history**.

287. sürekli [adv] *always*

O **sürekli** kavga çıkaran bir çocuktur.
That child **always** picks a fight.

288. insanların [n] *the people's*

İnsanların yanında evcil hayvanları da vardı.
The people's pets were with them.

289. siyasi [adj] *political*

Ben **siyasi** işlere karışmayı sevmem.
I do not like to be involved in **political** events.

290. sonunda [adv] *at the end*

Konserin **sonunda** fazladan bir gösteri yaptılar.
They performed another show **at the end** of the concert.

291. türlü [adj] *sort*

Her **türlü** yolu denedik ama nafile.
We tried every **sort** of way, but we had no luck.

292. verdi [v] *he/she gave*

Ona en fazla bulunan balıklardan **verdi**.
He gave her some of the fish that were plentiful.

293. Mehmet [n] *Mehmet* (masculine name)

Benim en iyi arkadaşım **Mehmet**.
Mehmet is my best friend.

294. ad [n] *name*

Onun **adı** kapıda yazılıymış.
His **name** is on the door.

295. birkaç [adj] *a few*

Birkaç adım attıktan sonra bayıldı.
He fainted after taking **a few** steps.

296. ayrı [adj] *special*

Onun yeri **ayrıdır** bende.
She has a **special** place in my heart.

297. haber [n] *news*

Annemden **haber** gelince hemen Ankara'ya gittim.
After I got **news** from my mother, I immediately went to Ankara.

298. onlar [pron] *they*

Onlar benden önce yatmışlar.
They went to bed before me.

299. ana [n] *mother; main*

Kedi **ana** olduktan sonra bize karşı değişti.
The cat's attitude changed when she became a **mother**.

300. yanında [postp] *next to*

Bekçinin **yanında** gezen kişi kim?
Who is the person walking **next to** the guard?

301. durum [n] *situation*

Durumda değişiklik olursa size haber veririz.
If there is a change in the **situation** we will let you know.

302. göz [n] *eye*

Gözüyle ilgili bir sorun varmış.
He has a problem with his **eye**.

303. teknik [adj] *technical*

Teknik meselelerden pek anlamam.
I do not really understand **technical** issues.

304. ettiği [ptcp] *he/she makes*

Arkadaşının **ettiği** gürültüyü çekemiyor.
She can't take the noise her friend **makes**.

305. içinde [adj] *inside*

Çantanın **içinde** astar yokmuş.
There is no lining **inside** the bag.

306. açısından [postp] *in terms of*

O kadının **açısından** olaya bakabiliyor musun?
Can you see it **in terms of** that woman's perspective?

307. herkes [n] *everybody*

Yeni çifte **herkes** yardım etti.
Everybody helped the newly wed couple.

308. sahibi [n] *the owner of*

Köpeğin **sahibi** koşarak geldi.
The **owner of** the dog came running.

309. hareket [n] *action*

Nerede **hareket** orada bereket.
Wherever there's **action**, there's abundance.

310. dünyanın [n] *the world's*

Dünyanın en yüksek zirvesi Everest Dağı'ndadır.
The world's highest mountain peak is Mount Everest.

311. a [interj] *oh*

A, şuna bak, elbisesini ters giymiş!
Oh, look at her, she has her dress on inside out!

312. arada [adv] *sometimes*

Ona **arada** böyle mesajlar geliyor.
He **sometimes** gets messages like these.

313. üniversite [n] *university*

Marmara **Üniversite**si yeni fakülte açacakmış.
Marmara **University** will add a new department this year.

314. gerekli [adj] *crucial*

Herkes için **gerekli** aletler satıyormuş.
He sells gadgets that are **crucial** for everybody.

315. halk [n] *people*

Halk arasında hikayeler üretilmiş.
People have come up with stories amongst themselves.

316. boyunca [adv] *along*

Sahil **boyunca** uzanan bir arsası var.
He has land that stretches **along** the coast.

317. ülke [n] *country*

Bulgaristan Türkiye'ye komşu olan bir **ülke**dir.
Bulgaristan is a neighbouring **country** to Turkey.

318. CHP [n] *Republican People's Party*

CHP ilk kurulan Türk politik partisidir.
The **Republican People's Party** was the first Turkish political party.

319. -u [pos] *his/her*

Burnunu estetik yaptırmış.
She had **her** nose done.

320. adam [n] *man, person*

O **adam** yine gelmiş.
That **man** came again.

321. TL [n] *Turkish liras*

Size kaç **TL** ödedi?
How many **Turkish liras** *did he pay you?*

323. sizin [pron] *your*

Sizin doğum gününüz ne zaman?
When is **your** birthday?

323. onların [pron] *their*

Onların evi satılık değil.
Their house is not for sale.

324. el [n] *hand*

El ele verirsek bu iş çabuk biter.
If we work **hand** in hand this job will get done quickly.

325. adına [adv] *in her name*

Babası onun **adına** konuşur hep.

Her dad always talks **in her name.**

326. ederek [ptcp] *doing*

Özel bir dans **ederek** sahneden indi.

She exited the stage **doing** a special dance.

327. evet [interj] *yes*

Her şeye **evet** dersen işin zor!

If you say **yes** to everything, you'll have difficulty.

328. spor [n] *sports*

Okulda en sevdiği ders **spor**.

His favorite thing at school is **sports.**

329. yoktur [v] *is no*

Bu işin çaresi **yoktur**.

There **is no** solution to this problem.

330. kolay [adj] *easy*

Sınavda **kolay** soru sorar.

He asks **easy** questions on the exam.

331. *ve* [conj] **and**

Pilav **ve** fasülye birbirine çok yakışır.

Rice **and** beans go hand in hand.

332. sıra [n] *turn*

Bize **sıranın** gelmesi on dakika sürer.

It will be ten minutes before our **turn** comes.

333. -deki [suf] *on the*

Perde**deki** lekeyi çıkaramadım.
I couldn't clean the spot **on the** curtain.

334. internet [n] *internet*

Bu kafedeki **internet** bağlantısı çok zayıf.
The **internet** speed at this café is very low.

335. kültür [n] *culture*

Türk **kültürünü** anlamaya çalışıyorum.
I am trying to understand Turkish **culture**.

336. başarılı [adv] *successful*

O yazarı çok **başarılı** buluyorum.
I think that writer is very **successful**.

337. uluslararası [adj] *international*

Uluslararası bir şirkette calışıyor.
She works for an **international** company.

338. ortak [adj] *similar*

Ortak zevklerimiz var.
We have **similar** tastes.

339. neden [n] *reason*

Bu **neden**le senin takıma girmene izin vermediler.
This is the **reason** why they didn't let you join the team.

340. tür [adj] *variety/sort of*

Bu **tür** ağaçları dikmeyin dediler.
They said not to plant this **variety of** trees.

341. bu hal [n] *this state*

Çocuklar evi **bu hale** sokup gitmişler!
The kids left the house in **this state**!

342. -in [pos] *your*

Kalem**in** benim cebimde.
Your pencil is in my pocket.

343. Sayın [n] *Mr/Mrs*

Sayın Vali konuşma yapacak.
Mr. Governor is going to give a speech.

344. üst [adj] *top, higher*

Üst seviyede bir futbolcudur o.
He is a **top** football player.

345. kurşun [n] *bullet*

Araba **kurşun** izleriyle doluydu.
The car was covered with **bullet** holes.

346. yakışıklı [adj] *handsome*

Sen şimdiye kadar gördüğüm en **yakışıklı** adamsın.
You're the most **handsome** man I've ever seen.

347. konuştu [v] *talked*

Ali küresel ısınma hakkında **konuştu**.
Ali **talked** about global warming.

348. cevap [n] *answer*

Bu **cevap** doğru değil.
This **answer** is not correct.

349. yerde [adv] *on the ground*

Bunu **yerde** buldum.
I found this **on the ground**.

350. yaptı [v] *did/made*

Bu keki annesiyle beraber **yaptı**.
He **made** this cake with his mother.

351. ciddi [adj] *serious*

Ciddi misin?
Are you **serious**?

352. verilen [ptcp] *given*

Bilgisayar adı **verilen** bu cihaz hepimizin hayatında büyük bir öneme sahip olmaya başladı.
This device, which was **given** the name of "computer" has started to have a huge importance in our lives.

353. AKP [n] *Justice and Development Party*

Bu seçimi **AKP** kazandı.
AKP won this election.

354. bunlar [pron] *these*

Bunların ne olduğunu biliyor musunuz?
Do you know what **these** are?

355. el [n] *hand*

El **ele** tutuşarak bu yolda yürüdüler.
They walked on this road holding **hands**.

356. Mustafa [n] *Mustafa* (masculine name)

Mustafa'nın ne düşündüğü artık umurumda değil.
I no longer care about what **Mustafa** thinks.

357. güvenlik [n] *security*

Güvenlik bize birkaç soru sormadan içeri girmemize izin vermedi.

Security didn't let us in without asking a few questions.

358. kişinin [n] *person's*

Bir **kişinin** sözünden daha fazlasına ihtiyacımız var.

We need more than one **person's** words.

359. verdiği [ptcp] *that s/he gave*

Bu, onun bana **verdiği** şampuan.

This is the shampoo **that he gave** me.

360. aldı [v] *took*

Bu kitabı raftan **aldım**.

I **took** this book from the shelf.

361. haline [n] *to/for the situation of*

Onların **haline** ne kadar acıdığını ben gördüm.

I saw how he felt sorry for their **situation**.

362. görev [n] duty

Çevreyi temiz tutmak hepimizin **görev**i.

It's our **duty** to keep the environment clean.

363. yardım [n] help

Ödev yaparken kimseden **yardım** istemez.

He doesn't ask for anyone's **help** on his assignments.

364. İslam [n] *Islam* (religion)

İslam dürüst olmayı emreder.

Islam commands honesty.

365. mücadele [n] *struggle*

Üniversiteden mezun olmak için verdiği **mücadele** hepimizi etkiledi.

Her **struggle** to graduate from the university impressed us all.

366. takım [n] *team*

İstersen bizim **takım**a katılabilirsin.

You can join our **team** if you like.

367. yanlış [adj] *wrong*

Yanlış bir seçim yapmışım.

I made a **wrong** choice.

368. yüzden [conj] (it is used with "bu", "şu" or "o" and together it means "That's why", "Therefore")

Bu **yüzden** onunla konuşmayı bıraktım.

That's why I stopped talking to her.

369. kalan [adj] *remained*

Topraksız **kalan** köylüler sonunda şehre göç ettiler.

At the end, the peasants who **remained** landless migrated to the city.

370. ilçe [n] *district*

Bu **ilçe**nin yolları çok güzel.

The roads in that **district** are very good.

371. hala [n] *aunt*

Halama mı benziyorum yoksa anneanneme mi?

Do I resemble my **aunt** or my grandmother?

372. çalışan [ptcp] *those who study*

Çok **çalışan** öğrenciler genelde başarılı olur.

The students **who study** a lot usually become successful.

373. şeklinde [adj] *shaped*

Daire **şeklinde** bir ayakkabısı vardı.
She had a circle-**shaped** shoe.

374. ün [n] *fame*

Sahip olduğu **ün** bir noktadan sonra başına bela olmaya başladı.
After a while, her **fame** started to cause her trouble.

375. dile [v] *to wish*

Dilerim ki mutlu olursun.
I **wish** you happiness.

376. sonucu [n] *result*

Sınav **sonucu**nu bekliyoruz.
We are waiting for the test **results**.

377. kimse [pron] *anyone*

Senden başka **kimse**ye söylemedim.
I didn't tell **anyone** other than you.

378. insanın [n] *human's*

Mahremiyet her **insanın** hakkı.
Privacy is a right **of** every **human being**.

379. halinde [adv] *on one's own*

Biz kendi **halinde** yaşayan bir aileyiz.
We are a family who lives **on their own**.

380. yoksa [conj] *or*

Kayak yapmayı mı seversin **yoksa** paten kaymayı mı?
Do you like skiing **or** skating?

381. film [n] *film*

Film izlemeyi sevmem.
I don't like watching **films**.

382. arasındaki [adj] *between*

Kare ile dikdörtgen **arasındaki** farklar nelerdir?
What are the differences **between** a square and a rectangle?

383. Kürt [n] *Kurdish* (people)

Arkadaşımın eşi **Kürt**.
My friend's spouse is **Kurdish**.

384. kendisine [pron] *him/her/himself/herself*

Bu konu hakkında onun ne düşündüğünü bilmiyorum ama siz **kendisine** sorabilirsiniz.
I don't know what he thinks about this situation however, you can ask **him**.

385. ilişkin [adj] *about*

Bu sözleşmeye **ilişkin** kararınız nedir?
What is your decision **about** this contract?

386. olacaktır [v] *will be*

Eminim ki mutlu **olacaktır**.
I'm sure that she **will be** happy.

387. gece [adv] *night*

Dün **gece** garip bir ses duydum.
I heard a weird noise last **night**.

388. başına [adv] *on/to her/his head*

Başına kapı çarpınca yere düşmüş.
She fell down when the door hit her **head**.

57

389. takip [n] *follow*

Annem Instagram'dan gönderdiğim **takip** isteğini reddetmiş.

My mother declined my **follow** request on Instagram.

390. böylece [adv] *thus*

Hatalı olduğunu kabul etti, **böylece** barışmış olduk.

He admitted that he was wrong, **thus** we made up.

391. geliyor [v] *is/are coming*

Kış **geliyor**.

Winter is **coming**.

392. orta [adj] *middle*

Bu konuda **orta** yolu bulmak çok zor.

It is difficult to find a **middle** ground on this topic.

393. ev [n] *house*

Hasan'ın **ev**i benim **ev**imden daha büyük.

Hasan's **house** is bigger than my **house**.

394. Anadolu [n] *Anatolia*

Ankara, Çankırı ve Kırıkkale İç **Anadolu** Bölgesi'ndeki güzide şehirlerimizdir.

Ankara, Cankiri and Kirikkale are our distinguished cities in the **Anatolia** Region.

395. yere [adv] *on/to the ground*

Yemeğini **yere** koyma!

Don't put your food **on the ground**!

396. oyun [n] *game, play*

Oyun, çocukların gelişimi için çok önemlidir.

Play is vital for children's development.

397. çıktı [n] *output*

Bu programın **çıktıları** nelerdir?
What are the **outputs** of this program?

398. üzerinden [adv] *from the top*

Oyuncu, binanın **üzerinden** korkusuzca atladı.
The actress jumped fearlessly **from the top** of the building.

399. sorun [n] *problem*

Çok büyük bir **sorun**umuz var.
We have a huge **problem**.

400. bulunduğu [ptcp] *that s/he has been to*

Esra bu zamana kadar **bulunduğu** ülkelerden bahserderken hepimiz çok şaşırdık.
We were all amazed while Esra was talking about the countries **she has been to**.

401. doğal [adj] *natural*

Bu ürün **doğal** mı yoksa işlenmiş mi?
Is this product **natural** or processed?

402. tamamen [adv] *completely*

Eğer anlattığı şey **tamamen** doğruysa neden panik yaptı?
If the things she told were **completely** true, then why did she panic?

403. sırasında [adv] *during*

Kavga **sırasında** biz de o bölgedeydik ama çok şükür ki bize bir şey olmadı.
We were in that district **during** the fight, but thankfully we did not get harmed.

404. hak [n] *right*

Bu yaptığınız **hak** ihlaline girer!
What you are doing is violating my **rights**!

405. yapılacak [adj] *that is going to be done*

Yapılacaklar şu kağıtta yazıyor.
The things **that** you are **going to do** are written on this paper.

406. hava [n] *weather*

Bugün **hava** nasıl?
What is the **weather** like today?

407. birliği [n] *union of*

Avrupa **Birliği** ülkeleri bu konu hakkında mutabakata vardı.
European **Union** countries agreed upon this subject.

408. gelecek [n] *future*

İnsanlar, **gelecek**te robotların dünyayı ele geçireceğini söylüyor.
People say that in the **future,** the robots will conquer the world.

409. mevcut [adj] *current*

Mevcut durum hiç iç açıcı değil.
The **current** situation is quite depressing.

410. on [num] *ten*

Bu cihazın toplam **on** düğmesi var.
This device has **ten** buttons in total.

411. tercih [n] *choice*

Tercih senin.
It's your **choice.**

412. almak [v] *to take*

Eşyalarını yanına **almak** istersen alabilirsin.

If you want to **take** your belongings with you, you can.

413. hızlı [adv] *fast*

Ne kadar **hızlı** koşarsan koş gitmek isteyen birine yetişemezsin.

No matter how **fast** you run, you cannot catch someone who wants to leave.

414. mu [interr] *is?*

O da seninle geliyor **mu?**

Is she coming with you?

415. beraber [adv] *together*

Bu sorunu **beraber** halledebileceğimize inanıyorum.

I believe that we can handle this problem **together**.

416. derece [n] *degree*

Hava bugün otuz iki **derece.**

Today, it is thirty-two **degrees** Celsius.

417. içine [adv] *in/into*

Bize çantasının **içine** neler koyduğunu gösterdi.

She showed us what she put **in** her purse.

418. müdür [n] *principal*

Okul **müdürü** benimle konuşmak istediğini söylemiş.

The school **principal** told me that he wanted to speak with me.

419. olmadığını [ptcp] *does not have/does not exist*

O kitabın bende **olmadığını** nasıl kanıtlayacağım?

How am I going to prove **that I do not have** that book?

420. güçlü [adj] *strong*

Güçlü bir bedene sahip olmak istiyorsan, spor yapmalısın.
If you want to have a **strong** body, you must do physical exercise.

421. bizi [pron] *us*

Bizi kurtarabilecek tek kişi sensin.
You are the only person who can save **us**.

422. sistem [n] *system*

Bu sistemi en iyi o bilir.
He knows this **system** the best.

423. diyor [v] *says*

"O halde artık beni unutacak mısın?", diyor adam kadına.
"So, are you going to forget me?" **says** the man to the woman.

424. halde [adv] *in a situation*

Onu o haldeyken nasıl bırakırsın?
How could you leave her **in this situation**?

425. yana [adv] *(to) side*

Bu yana mı gidiyorsun yoksa o yana mı?
Are you going **to** this **side** or that **side**?

426. onları [pron] *them*

Onları işe ben aldım.
I hired **them**.

427. dönemde [adv] *in a semester*

Bir dönemde en fazla on ders alabilirsin.
You can take maximum ten classes **in one semester**.

428. gerektiği [ptcp] *that (it) is needed*

Özür dilemesi **gerektiğini** anladı.

She understood **that she needs** to apologize.

429. yanına [adv] *next to*

Sınıfta **yanıma** oturdu.

She sat **next to** me in the classroom.

430. tarihinde [post] *on the date*

23 Şubat **tarihinde** kız kardeşim evleniyor.

On the date of February 23, my sister is getting married.

431. adlı [adj] *called*

"Projeler" **adlı** dosyayı yöneticiye göndermelisin.

You should send the file **called** "Projects" to the manager.

432. yıllık [adj] *annual*

Yıllık bütçemiz yaklaşık bir milyon dolar.

Our **annual** budget is around one million dollars.

433. toplam [adv] *in total*

Hamileliğim sırasında **toplam** on kilo aldım.

I gained ten kilos **in total** during my pregnancy.

434. sık [adv] *often*

Liseden mezun olduğumuzdan beri birbirimizi çok **sık** ziyaret etmedik.

Since we graduated from high school, we haven't visited each other very **often**.

435. teşekkür [n] *thank*

Asıl **teşekkür** etmemiz gereken kişi, bizlere bu fırsatı sunan öğretmenimiz.

The person we need to **thank** is our teacher who provided us this opportunity.

436. dört [num] *four*

Dört kardeşten en küçüğünün adı Halil'miş.

Halil is the name of the youngest of the **four** brothers.

437. geniş [adj] *wide*

Geniş bir dolaba sahip olmak çok rahatlatıcı.

Having a **wide** closet is a relief.

438. grup [n] *group*

Bir öğrenci **grub**u, rektörlükte eylem yapıyor.

A **group** of students are protesting in front of the president's office.

439. şeyler [n] [pl] *things*

Hayat hakkındaki bazı **şeyler**i kabul etmekte zorlanıyorum.

Some **things** about life are hard to accept for me.

440. tabi [prep/post] *subject to*

O bölüm bizim fakülteye **tabi**.

That department is **subject to** our faculty.

441. demek [v] *to mean*

Bu ne **demek**?

What does it **mean**?

442. gerekiyor [v] *to need*

Sınavdan önce yüz sayfa makale okumam **gerekiyor**.
I **need** to read one hundred pages of articles before the exam.

443. meşgul [adj] *busy*

O bugünlerde çok **meşgul**.
He is quite **busy** these days.

444. Erdoğan [n] *a surname*

Cumhurbaşkanı **Erdoğan** Lübnan'a ziyarette bulundu.
President **Erdoğan** paid a visit to Lebanon.

445. bence [adv] *I think/in my opinion*

Bence her insan özgürce yaşamak ister.
I think everyone in the world wants to live free.

446. kontrol [n] *control*

Son **kontrol**den sonra ödevi öğretmene göndereceğim.
I will send the assignment after the last **control**.

447. Eylül [n] *September*

Eylül en sevdiğim aydır.
September is my favorite month.

448. adet [n] *number/piece*

Bu dolabında kaç **adet** mandalina var?
How **many** tangerines are there in the fridge?

449. aldığı [ptcp] *that s/he took*

Aldığı kitapları geri getirmedi.
He did not bring the books **that he took**.

450. Ahmet [n] *Ahmet* (masculine name)

Ahmet bizim sınıfın en başarılı öğrencisidir.
Ahmet is the most successful student in our classroom.

451. yandan [adv] *from ... side*

O yandan ses seda çıkmadı.
We didn't hear anything from that side.

452. dış [n] *foreign/outside*

Ablam Dış İşleri Bakanlığı'nda çalışıyor.
My sister works for the Ministry of Foreign Affairs.

453. meydana gelen [adj] *that happened*

Dün meydana gelen kazada iki kişi hayatını kaybetti.
Two people lost their lives in the accident that happened
yesterday.

454. başbakan [n] *president*

Halk verdiği son kararlardan dolayı Başbakan'a kızgın.
People are angry at the President because of the last decisions he
made.

455. aile [n] *family*

İki aile arasındaki tartışmalar bir aile özür dileyince sonlandı.
The conflict between the two families have come to an end after a
family apologized.

456. toplum [n] *society*

Sosyologlar toplumu inceler ve toplum hakkında araştırmalar
yaparlar.
Sociologists analyze the society and make research about it.

457. yabancı [n] *stranger*

Ben küçükken annem **yabancı**larla konuşmamamı söylerdi.
When I was younger, my mother used to tell me not to talk to **strangers**.

458. kitap [n] *book*

Bir sürü insan **kitap**ları insanlara tercih ediyor.
There are lots of people who prefer **books** over humans.

459. dolayısıyla [conj] *therefore*

Bu akşam için başka bir arkadaşıma söz verdim, **dolayısıyla** programa katılamayacağım.
I have a date with a friend of mine tonight; **therefore**, I will not be attending the program.

460. istiyorum [v] *I want*

Ders çalışmaktan çok sıkıldım, hemen mezun olmak **istiyorum**.
I am sick and tired of studying; I **want** to graduate immediately.

461. beri [postp] *since*

Küçüklüğün**den beri** bilime her zaman ilgi duymuştur.
She has always been interested in science, **since** she was a little girl.

462. bazen [adv] *sometimes*

Bazen nasıl bu kadar yorulduğumu anlamıyorum.
Sometimes, I cannot understand how I get so tired.

463. bunlar [pron] *these*

Bunları alıp mutfaktaki dolaba koyabilir misin?
Can you take **these** and put them in the closet in the kitchen?

464. enerji [n] *energy*

Yeteri kadar **enerji**m olmadığında kahve içerek daha iyi hissetmeye çalışıyorum.
Whenever I do not have **energy**, I try to feel better by drinking a cup of coffee.

465. dünyadaki [adv] *in the world*

Eğer sesimizi çıkarmazsak, **dünyadaki** karmaşa ve kaostan yine bizler de sorumluyuz.
If we remain silent, we are also responsible for the conflicts and the chaos **in the world**.

466. İsrail [n] *Israel*

İsrail ve Filistin arasındaki sorunlar hala çözüme kavuşamadı.
The problems between **Israel** and Palestine have not been solved yet.

467. belirten [ptcp] *indicating*

Makinede bir sorun olduğunu **belirten** sinyalleri görmezden geldik ve makine en sonunda bozuldu.
We ignored the signals that **indicated** the problems of the machine and it eventually broke down.

468. önceki [adj] *previous*

Önceki bölümü izlemeden bunu anlaman imkansız.
It is impossible for you to understand this case before watching the **previous** episode.

469. kim [pron] *who*

Kimin aradığını bilmiyorum.
I do not know **who** called me.

470. örneğin [prep] *for example*

Vejetaryen yemekler etsiz olur. **Örneğin,** sebzeli pizza vejetaryen bir yemektir.

Vegetarian meals are cooked without meat. **For example,** veggie pizza is a vegetarian meal.

471. orada [pron] *there*

Yarın geri döneceğim için eşyalarımı **orada** bıraktım.

I left my belongings **there** because I am going to come back tomorrow.

472. AB [n] *EU*

Türkiye ve **AB** ilişkileri güçleniyor.

The relationship between Turkey and **the EU** is getting stronger.

473. basın [n] *press*

Basın açıklaması yapıldıktan sonra olay aydınlandı.

After the **press** release, we were enlightened about the details of the case.

474. karşısında [prep/post] *against*

Şimdi herkes onun **karşısında** bir pozisyon aldı.

Now everybody has taken a stance **against** her.

475. sene [n] *year*

Bu **sene** balık burcu olanların aşk hayatında inanılmaz gelişmeler olacakmış.

This **year,** Pisces will have tremendous developments in their love life.

476. AK [n] *AK (stands for Adalet ve Kalkınma which means Justice and Development)*

AK Parti hükûmeti bu yasayı yürürlüğe koydu.

The government of **AK** Party promulgated this law.

477. yaşam [n] *life*

Yaşam sürprizlerle dolu.
Life is full of surprises.

478. olmuş [v] *I heard that s/he became*

Duyduğuma göre o, şirkette genel müdür **olmuş**.
I heard that she became the general manager at the firm.

479. örnek [n] *example*

Çocuklara bir **örnek** teşkil etmesi için onu sınıfımıza davet ettim.
I invited her to our classroom to set an **example** to the children.

480. önünde [adv] *in front of*

Bilekliğimi evin **önünde** düşürmüşüm.
I dropped my bracelet **in front of** the house.

481. olmadığı [ptcp] *that has no/without*

Haksızlıkların **olmadığı** bir dünya diliyorum.
I wish to see a world **that has no** injustice in it.

482. yardımcı [n] *assistant*

Okumalarıma daha iyi odaklanabilmek için bir **yardımcı** işe aldım.
I hired an **assistant** to be able to focus on my readings more.

483. Amerika [n] *U.S.A*

Amerika ile Türkiye arasındaki ilişkileri anlatan bir kitap
okudum.
I read a book about the relationship between **the States** and
Turkey.

484. varsa [adv] *if there is/if available*

Yardımcı olabileceğim herhangi bir şey **varsa**, lütfen söylemekten çekinmeyin.

Please do not hesitate to ask; **if there is** anything I can help you with.

485. İzmir [n] *a city in Turkey*

İzmir'e gittiğimde sahilde vakit geçirmeyi çok seviyorum.

I love spending time on the coast when I go to **Izmir**.

486. Atatürk [n] *surname of the founder of the Republic of Turkey*

Atatürk, 1881 yılında Selanik'te doğmuştur.

Ataturk was born in the year of 1881, in Thessalonika.

487. durum [n] *status*

Medeni **durum**unun bekar olduğunu söyledi.

She said that her marital **status** is single.

488. deniz [n] *sea*

Deniz tuzu kullanıma uygun değil.

Sea salt is not edible.

489. ziyaret [n] *visit*

Bugün huzur evini **ziyaret** etmeyi düşünüyorum.

Today, I am planning to **visit** a nursing home.

490. ileri [adv] *ahead*

Korkudan bir adım bile **ileri** gitmediler.

They did not even take one step **ahead** because of their fear.

491. -ı/-i/-u/-ü [~] *accusative suffixes (used with -y or -n when the final sound of the root is a vowel)*

Eda'yı aradım ama telefona cevap vermedi.
I called Eda but she did not respond to my call.

492. ediyorum [aux] *I do (verb)*

Ona dışarı çıkmayı teklif **ediyorum** ama asla kabul etmiyor.
I ask him out, but he never accepts my offer.

493. resmi [adj] *official*

Resmi bir toplantı olduğu için bizi içeri almadılar.
They did not let us in because it was an **official** meeting.

494. yılı [n] *the year of*

1998 **yılı** benim için çok önemliydi.
The year of 1998 had a huge importance to me.

495. yol [n] *road*

Temiz olan **yol**u tercih ettiğim için beni suçlayamazsın.
You cannot blame me for preferring **the** clean **road**.

496. savaş [n] *war*

Herkesin isteği dünya barışıyken, **savaş**lar hala devam ediyor.
Wars continue to happen while everyone's wish is for world peace.

497. olmaz [v] *there is no*

Eczanede süt **olmaz**.
There is no milk in the pharmacy.

498. belediyesi [n] *municipality of*

İstanbul Büyükşehir **Belediyesi** gerekli yardımların yapılacağını söyledi.
Istanbul Metropolitan **Municipality** said that they will provide the necessary help.

499. okul [n] *school*

Okula gitmeseydim günlerimi nasıl geçirirdim hiç bilmiyorum.
I do not know how I would spend my days if I did not attend **school**.

500. henüz [adv] *yet*

Teklifine ne cevap vereceğime **henüz** karar veremedim.
I could not decide how to reply to her offer, **yet**.

501. tarih [n] *history*

Tarih derslerine katılmayı hiçbir zaman sevemedim.
I have never enjoyed attending **history** classes.

502. sayesinde [adv] *thanks to ...*

Bu siteyi onun **sayesinde** buldum.
I found this website **thanks to** her.

503. erkek [n] *male, man*

Yanlışlıkla **erkek**ler tuvaletine girmişim.
I accidently entered the **men's** room.

504. proje [n] *project*

Projemizin kabul alacağını umuyoruz.
We are hoping that our **project** will be accepted.

505. yaşayan [ptcp] *who live*

Bu köyde **yaşayan** insanların ekonomik durumu iyi değil.
The financial status of those **who live** in this village is not good.

506. kaç [adj] *how many*

Kaç kişi piyano çalabiliyor?
How many of you can play the piano?

507. itibaren [postp] *starting from; since*

Yarından **itibaren** okul 08.30'da başlayacak.
Starting from tomorrow, school starts at 08:30.

508. yoğun [adj] *busy*

Bir keresinde **yoğun** bir günün ardından on saat uyumuştum.
Once, I slept ten hours after a **busy** day.

509. tabii [adv] *of course*

Tabii ki de ne kadar ihtiyacın varsa kullan.
Of course, you can use it as much as you need.

510. altın [n] *gold*

Yatırımı **altın**a mı yapmalıyız dolara mı?
Should we invest **in gold** or dollars?

511. -la [postp] *with*

Onun**la**yken zaman nasıl geçiyor anlamıyorum.
I lose track of the time when I am **with** him.

512. ağır [adv] *heavy*

Ayakkabılarım çok **ağır** olduğu için yürümekte zorlanıyorum.
I find it difficult to walk because of my **heavy** shoes.

513. olursa [adv] *if there is*

Odada birileri **olursa** ders çalışamam.
I will not be able to study **if there is** someone in the room.

514. kendisi [pron] *him/herself*

Ben bu konu hakkında yorum yapamam ama **kendisi** bir açıklamada bulunabilir.
I cannot comment about this but she, **herself**, can make an explanation.

515. onlara [pron] *them*

Onlara sorulan sorulara sen cevap veremezsin.
You cannot answer the questions that are posed to **them**.

516. Bey [n] *Mr.*

Bu dosyaları Ahmet **Bey**'e iletir misiniz?
Can you deliver these files to **Mr.** Ahmet?

517. oluşan [ptcp] *that is formed*

Depremden sonra duvarda **oluşan** çatlakları görünce şok olduk.
We were shocked when we saw the cracks **that were formed** after the earthquake.

518. fark [n] *difference*

İki resim arasındaki **farkı** buldun mu?
Did you find the **differences** between the two pictures?

519. hayat [n] *life*

Hayatımda böyle bir güzellik görmedim!
I have never seen anything that beautiful in my **life**!

520. çoğu [adj] *most of ...*

Çoğu zaman kırılsa da kimseye bir şey söylemezdi.
Even though she gets hurt **most of** the time, she would never say anything to anyone.

521. başında [adv] *at the beginning*

Günün **başında** çok enerjikken, sonlara doğru çok yorgun hissediyorum.
I feel very energetic **at the beginning of** the day but towards the end I feel very tired.

522. milyar [num] *billion*

Dünya'da yaklaşık sekiz **milyar** insan var.
There are almost eight **billion** people in the world.

523. seçim [n] *election*

En son yapılan **seçim**de oy kullandın mı?
Did you vote in the last **election**?

524. mutlu [adj] *happy*

Bu **mutlu** günümde yanımda olduğunuz için teşekkür ederim.
Thank you so much for being there on this **happy** day.

525. zorunda [adj] *being obliged to ...*

Bunu yapmak **zorunda** değilsin.
You do not **have to** do this.

526. ön [adj] *front*

Ön koltuklar boş. İstersen oraya oturabiliriz.
The **front** seats are empty. We can sit there if you like.

527. olay [n] *incident*

O **olay**dan sonra kendisinden bird aha haber alınamamış.
They never heard from him after that **incident**.

528. kendisine [pron] *(for) herself/himself*

Kendisine yeni bir gömlek almış.

She bought **herself** a new shirt.

529. güç [n] *power*

Parası olanların **güç** sahibi olduğu bir dünyada yaşıyoruz.

We are living in a world where those who have money have the **power**.

530. birinci [adj] *the first*

Birinci maddeyi işaretlemeden ikinciye geçilmiyormuş.

You cannot skip to the second article before **the first** one.

531. şey [n] *thing*

Aynı **şey**i beş kere sordum ama yine de anlamadım.

I asked the same **thing** five times and still could not understand.

532- mutlaka [adv] *definitely*

Yarın **mutlaka** görüşelim.

We should **definitely** meet tomorrow.

533. dün [adv] *yesterday*

Dün çok hastaydım.

I was very sick **yesterday**.

534. müdürlük [n] *directorate*

İl Milli Eğitim **Müdürlüğü** staj saatlerimizin değişemeyeceğini söyledi.

The Provincial **Directorate** for National Education said that our practicum hours will not change.

535. edildi [v] *have been*

Sunduğum tüm öneriler kabul **edildi**.
All the suggestions I made **have been** accepted.

536. kendisini [pron] *him/himself/her/herself*

Kendisini o olaydan sonra bir daha hiç görmedim.
I have not seen **him** since that incident.

537. başlayan [ptcp] *the one whose ... start*

İsmi K harfiyle **başlayan**lar şu koltuğa oturabilir.
Those whose names **start** with the letter K may be seated on that sofa.

538. alt [adj] *down*

Alt kata inerken merdivenden düştüm.
I fell while going **down** the stairs.

539. iş [n] *job*

Bu **iş**i haftaya cumaya kadar yetiştirmem lazım.
I need to finish this **job** before next Friday.

540. kur [n] *rate*

Döviz **kur**ları oldukça değişken.
Foreign exchange **rates** are fluctuating.

541. Mayıs [n] *May*

Mayıs ayında düğünüm var.
My wedding is in **May**.

542. sayısı [n] *the number of*

Bu dersi alan öğrencilerin **sayısı**nı bilmiyorum.
I do not know **the number of** students who enrolled in this course.

543. alınan [ptcp] *that is taken*

Profesörler tarafından **alınan** son karara göre iki ara sınav bir final olacakmış.

According to the final decision **that is taken** by the professors, there are going to be two midterms and one final.

543. isteyen [ptcp] *the one who wishes*

İsteyen herkes katılım sağlayabilir mi?

Can anyone **who wishes** to attend join this program?

544. izin [n] *permission*

Ondan da mı **izin** almam gerekiyor?

Do I need to ask for her **permission** as well?

545. başta [adv] *at first*

Başta onu çok sevmemiştim ama şimdi onsuz vakit geçiremiyorum.

At first, I did not like him that much but now I cannot spend time without him.

546. lazım [adj] *needed*

Önce anneme sormam **lazım** sonra sana haber veririm.

First, I **need** to ask my mother, and then I will let you know.

547. kız [n] *girl*

Kızlar voleybol oynamak istiyorlarmış.

The **girls** want to play volleyball.

548. kamu [n] *public*

Kamuya açık bir alanda sigara içilmesini doğru bulmuyorum.

I do not find it appropriate to smoke in **public**.

549. yemek [n] *meal*

Yemek yedikten sonra daha iyi hissetmeye başladım.
I started to feel better after I had a **meal**.

550. Osmanlı [n] *Ottoman*

Osmanlı Devleti yıkıldıktan sonra Türkiye Cumhuriyeti kuruldu.
After the **Ottoman** Empire collapsed, the Republic of Turkey was established.

551. bakanlığı [n] *Ministry of*

Milli Eğitim **Bakanlığı'**nın öğretmenler için çıkardığı rehber kitap çok beğenildi.
The guidebook that the **Ministry** of Education published is liked very much.

552. Almanya [n] *Germany*

Evlendikten sonra **Almanya'**ya taşınmayı düşünüyorum.
I am planning to move to **Germany** after marriage.

553. Hz [adj] *Respectable*

Hz. Muhammed son peygamberdir.
The **Respectable** Muhammad is the final prophet.

554. kan [n] *blood*

Sabah yerde **kan** gördüm.
In the morning, I saw **blood** on the floor.

555. amacıyla [post] *with the purpose of*

Buluşma **amacıyla** bir grup kurduk.
We made this group **with the purpose of** meeting.

556. bakanı [n] *minister of*

Ekonomi **bakanı** açıklama yapıyor.
The **Minister** of the Economy is making statement.

557. düzenlenen [adj] *that was organized*

Yılbaşı için **düzenlenen** partiye katıldım.
I joined a party **that was organized** for New Year's Eve.

558. sonuç [n] *consequence*

Yaptıklarının **sonuç**larına katlanmak zorundasın.
You need to put up with the **consequences** of your actions.

559. İran [n] *Iran*

İran petrol kaynakları ile ünlüdür.
Iran is known for its petrol reserves.

560. defa [adv] *times*

Sana bunu dört **defa** anlattım!
I told you this four **times**!

561. Irak [n] *Iraq*

Abim **Irak**'ta askerlik yapıyor.
My brother is doing his military service in **Iraq**.

562. ticaret [n] *trade*

Amcam **ticaret** yapmak istiyordu.
My uncle wanted to make a **trade**.

563. dahil [prep/post] *including*

Bunları sen **dahil** herkes uygulayacak.
Everyone will apply these, **including** you.

564. Cumhuriyet [n] *Republic*

Türkiye **Cumhuriyet**i Devleti 1923 yılında kurulmuştur.
The Republic of Turkey was founded in the year of 1923.

565. olmuştur [v] *it's been (presumably)*

Eda'yla görüşmeyeli altı yıl **olmuştur**.
It's been six years since the last time I saw Eda.

566. milletvekili [n] *congressman/congresswoman*

Ablam **milletvekili** danışmanı olarak çalışıyor.
My sister is working as a **congressman**'s advisor.

567. askeri [adj] *military*

Askeri okula gitmek benim hayalim.
Studying at the **military** school is my dream.

568. tedavi [n] *treatment*

Bu **tedavi** benim için çok önemli.
This **treatment** is very important for me.

569. babam [n] *my father*

Babamı savaşta kaybettim.
I lost **my dad** in the war.

570. profesör [n] *professor*

Profesör bize bir seminer verdi.
The professor gave us a seminar.

571. Rusya [n] *Russia*

Kardeşim 1995'te **Rusya**'da doğdu.
My sister was born in 1995, in **Russia**.

572. üretim [n] *production*

Üretim müdürü çalışanlarla konuşuyor.
The production manager is talking to the employees.

573. ya da [conj] *or*

Mezuniyette mavi **ya da** siyah bir elbise tercih edebilirsiniz.
You can choose between the blue **or** black dress for the graduation.

574. üye [n] *member*

Meclis **üye**si bu teklifi reddetti.
The Parliament **member** declined this offer.

575. ulusal [adj] *national*

Maç öncesi **ulusal** marş okunuyor.
Before the match, the **national** anthem is playing.

576. polis [n] *police*

Çantamı çalan hırsızı **polis** yakaladı.
Police caught the thief who stole my bag.

577. müzik [n] *music*

Müzik dinlemeyi her şeyden çok seviyorum.
I love listening to **music** more than anything.

578. yapılması [ptcp] *to do*

Yapılması gerekenler panoda asılı duruyor.
Things **to do** are hung on the board.

579. yaşanan [ptcp] *happening*

Yaşanan kötü olaylardan sonra biraz dinlenmeye ihtiyacım var.
After the bad events **happening,** I need to rest.

580. peki [prep] *all right*

Peki ya şimdi ne olacak?
All right then, what's going to happen now?

581. vermek [v] *give*

Zeynep'e bir mandalina verdim.
I gave a mandarin to Zeynep.

582. ülkenin [n] *country's*

Orman yangınları ülkenin gündeminde.
Forest fires are in the country's agenda.

583. günlük [adj] *daily*

Günlük cilt bakımını yapmayı unutma.
Don't forget to do your daily skin care.

584. değer [n] *value*

Sen de benim değer verdiğim kişiler arasındasın.
You are also among the people I value.

585. mart [n] *March*

Doğum günüm mart ayında.
My birthday is in March.

586. yeterli [adj] *enough*

Bu kadarı benim için yeterli.
This much is enough for me.

587. kullanılan [ptcp] *used*

Bu yemekte kullanılan malzemeleri söyler misiniz?
Can you tell me the ingredients used in this meal?

588. merkez [n] *center*

Evimiz şehir **merkez**ine on dakikalık uzaklıktaydı.
Our house was ten minutes away from the city **center**.

589. sonrası [adv] *after*

Kurs **sonras**ında ne yapacağımı bilmiyorum.
I don't know what I can do **after** this course.

590. ilgi [n] *care*

Kızımın **ilgi**ye ihtiyacı olduğunu fark ettim.
I realized that my daughter needs **care**.

591. madde [n] *matter*

Maddenin üç hali vardır.
Matter has three states.

592. beş [adj] *five*

Saat **beş**te uyanacağım.
I will wake up at **five**.

593. yer [n] *place*

Burada gösterilen **yer**i nasıl bulabilirim?
How can I find the **place** that is shown here?

594. ürün [n] *product*

Bu **ürün**ü de almak istiyorum.
I want to buy this **product** too.

595. araştırma [n] *research*

Bu konula ilgili **araştırma**yı sen yapacaksın.
You will conduct the **research** about this topic.

596. belirtti [v] *indicated*

Bu tarzdan hiç hoşnut olmadığını açıkça **belirtti**.
He clearly **indicated** that he didn't like this style.

597. senin [pron] *your*

Senin kedin çok tatlı.
Your cat is so sweet.

598. ses [n] *sound*

Arka odadan bir **ses** geliyor.
There is a **sound** coming from the back room.

599. yıllarda [adv] *years*

Son **yıllarda** suç oranları arttı.
In the last **years** the crime rates have increased.

600. yıllarda [postp] *in (these/those) years*

O **yıllarda** henüz çok genç yaşta ve tecrübesiz olduğum için neyin
doğru neyin yanlış olduğunu ayırt edemiyordum.
Because **in those years** I was so young and inexperienced, I
couldn't figure out what was right or wrong.

601. size [prep] *to you/for you*

Bu şehirde doğmuş ve bütün ömrünü burada geçirmiş biri olarak
size rehber olmak benim için bir zevktir.
As a person who was born and spent his whole life in this city,
being a guide **to you** would be my pleasure.

602. sabah [adv] *morning*

Her **sabah** kahvaltı yapamasam da bir bardak kahve içmeden
güne başlamam.

Even though I can't have breakfast every **morning**, I never start the day without drinking a cup of coffee.

603. din [n] *religion*

Dünya üzerinde yüzlerce **din** olmasına rağmen en yaygın dinler Hıristiyanlık ve İslam'dır.
Although there are hundreds of **religions** in the world, Christianity and Islam are the most common religions.

604. sanat [n] *art*

Küçüklüğünden beri çizim ve tasarımla ilgilendiği için liseyi **sanat** okulunda okumak istedi ancak ailesini ikna etmek pek kolay olmadı.
She wanted to study **art** in high school because ever since she was young she was interested in drawing and design, yet it wasn't so easy to convince her family.

605. okulda [adv] *at the school*

Pazartesi günü **okulda** toplantı var.
There is a metting **at the school** on Monday.

606. önüne [postp] *in front of*

Arabayı evin **önüne** park ettikten sonra hızlıca camlarını silip evine girdi.
After he parked the car **in front of** the house, he cleaned its windows fast and got his home.

607. edecek [ptcp] *will (do something)*

Bütün evi temizlemede bana yardım **edecek** birine ihtiyacım var ama kimseyi bulamıyorum.
I need someone who **will help** me clean the whole house, but I can't find anyone.

608. dolar [n] *dollar*

Yurtdışına çıkmak istiyorsan Türk Lirası değil **dolar** biriktirmelisin çünkü döviz kurları birbirinden çok farklı.

If you want to go abroad, you should save **dollars** instead of Turkish Liras, as the currencies are so different from each other.

609. belirterek [ptcp] *indicating*

Her zaman bir gün sona ereceğini **belirterek** beni ayrılığa alıştırmaya çalışıyordu.

He was always trying to accustom me to the breakup by **indicating** that one day it would end.

610. bölge [n] *territory, region*

Her bitkinin yetişebildiği **bölge** birbirinden farklıdır; örneğin zeytin ağacı Akdeniz ve Ege **Bölge**si'nde yetişebilir çünkü neme ve ilik bir iklime ihtiyacı vardır.

Every plant can be grown in a different **territory**; for example, olive trees can be grown in Aegean and Mediterranean **regions** because they need warm and humid climates.

611. çözüm [n] *solution*

Saatlerdir bu problem üzerinde çalışmama rağmen henüz bir **çözüm** bulamadım.

Even though I have been studying on this problem for hours, I still haven't found a **solution** yet.

612. dönem [n] *period*

Okulun sonbahar **dönem**inde derslerime dikkat etmediğim için ikinci **dönem** çok çalışsam da ortalamam yüksek gelmedi.

As I didn't pay much attention in my classes in the first school **period**, I couldn't get a high GPA despite studying hard in the second **period**.

613. yerel [adj] *local*

Meyve ve sebze alışverişi yaparken elimden geldiğince **yerel** ürünleri satın almaya çalışıyorum.

When I am doing groceries of vegetables and fruits, I try to buy **local** products as much as I can.

614. batı [n] *west*

Türkiye'nin **batısına** doğru gidildikçe iklim daha da ılımanlaşır ve yeşil alan artar.

As one goes to the **west** of Turkey, the climate becomes more humid and the green space increases.

615. işe [prep] *to work*

Yarın **işe** gitmek istemiyorum ancak bunun için güzel bir bahane bulmalıyım.

I don't want to go **to work** tomorrow but I need to find a good excuse for it.

616. araya [adv] *between*

İki kişi konuşurken **araya** girmek kaba bir davranıştır.

Intervening **between** two people when they talk is a rude behavior.

617. uzak [adj] *away*

Üniversite hayatı boyunca ailesinden yüzlerce kilometre **uzak** bir ülkede okumak zorunda kaldı.

He had to study in a country that is hundreds of kilometers **away** from his family during his years in university.

618. sorunu [n] *(someone's) problem*

Benimle **sorunu** ne bilmiyorum ama bana karşı olan bu davranışları hiç hoşuma bitmiyor.

I don't know what's **his problem** with me, but I don't like his actions towards me.

619. yasal [adv] *legal*

Türkiye'de insanlar on sekiz yaşına bastığında **yasal** olarak yetişkin olurlar.

In Turkey, people **legally** become adults when they turn eighteen.

620. ekim [n] *October*

Birçok üniversitenin eylül ayında başlamasına rağmen benim üniversitem her zaman **ekim** ayında başlar.

Although most other universities start in September, my university always starts in **October**.

621. iddia [n] *claim*

İddia ediyoruz ki bu kadar lezzetli bir peyniri başka bir yerde bulamazsınız!

We **claim** you can never find any other cheese that is more delicious than this one!

622. kaldı [v] *left*

Çabuk olsan iyi olur çünkü testi bitirmek için sadece 15 dakikan **kaldı**.

You had better hurry because you have only fifteen minutes **left** to finish your test.

623. bilim [n] *science*

Yirmi birinci yüzyıl **bilim** çağı olarak nitelendirilebilir çünkü bu süre boyunca **bilim** sayesinde hayatımıza bircok yenilik girdi.

The twenty-first century can be regarded as the century of **science**, as so many innovations have come into our lives during this time thanks to **science**.

624. kocam [n] *my husband*

Kocam emekli olduktan sonra küçük bir kasabaya taşındık.
After **my husband** retired, we moved to a small town.

625. normal [adj] *normal*

Siyah çamaşırların yıkanması için **normal** su sıcaklığı 40° civarıdır
ancak beyaz çamaşırlar için normal sıcaklık 90°'ye kadar çıkabilir.
Normal water temparature for washing black clothes is around
40°C but for white clothes it can be up to 90°C.

626. toplumsal [adj] *social*

Günümüzde hâlâ **sosyal** baskı altında kalan birçok kız çocuğu
eğitimine devam etmek yerine evinde kapalı kalmak zorunda
kalıyor.
Today, so many girls still have to stay at home instead of
continuing their studies because of the **social** pressure.

627. sana [prep] *to you*

Sana göre önemsiz görünebilir ama benim icin çok önemli bir
konu olduğu için anlayışlı olmanı bekliyorum.
It may seem unimportant **to you,** but it is important for me, so I
expect you to be considerate.

628. benzer [adj] *similar*

Başına geleni duyduğuma çok üzüldüm, ama benim tavsiyem,
akşam geç saatte o mahalleden geçmemeye dikkat et; çünkü
benzer bir başka olay da birkaç gün önce benim başıma gelmişti.
I am so sorry to hear what happened to you, but my advice is to
try not to walk in that neighborhood because a **similar** incident
also happened to me a few days ago.

629. -li [postp] *from/with*

İstanbul'da doğup büyüdüm ancak aslen Mersinliyim.
I was born and raised in Istanbul, but originally, I am **from**
Mersin.

630. öğrenci [n] *student*

Ankara'da **öğrenci** nüfusu yüksektir, çünkü Türkiye'nin en iyi
üniversiteleri bu şehirdedir.
Student population in Ankara is high because the best universities
in Turkey are in this city.

631. Kemal [n] *Kemal* (a male name in Turkey)

Türkiye Cumhuriyeti'nin kurucusu Mustafa **Kemal** Atatürk'tür.
The founder of the Republic of Turkey is Mustafa **Kemal** Atatürk.

632. yazı [n] *writing*

El **yazı**sından bu notu kimin yazdığını tahmin edebiliyorum.
I can guess who wrote this note from their hand**writing**.

633. çalışmaları [n] [poss] *studies of/on*

Uluslararası İlişkiler bölümünü bitirdikten sonra "Asya
Çalışmaları" adlı yüksek lisans programına başlamak istiyorum.
I want to start the master program 'Asian **Studies**' after finishing
my International Relations major.

634. sanki [conj] *as if*

Dün akşamki davranışlarından **sanki** bana karşı kırgınmış gibi
hissettim, ama onunla konuşsam mı bilemiyorum.
I felt **as if** she was offended by me from her behavior last night,
but I don't know if I should talk to her or not.

635. Çin [n] *China*

Çin'in yakın gelecekte dünya çapında çok güçlü bir ülke olacağı düşünüldüğü için birçok kişi Çince öğrenmeye başladı.

As it is thought that **China** will be a very powerful country in the world, many people have started to learn Chinese.

636. çevre [n] *environment*

Son zamanlarda **çevre** kirliliği sorunu ciddileştiği için birçok kişi tarafından çeşitli eylemlerle protesto edilip farkındalık yaratılmaya çalışılıyor.

Since the problem about **environment** pollution is getting serious lately, it is being protested by so many people to raise awareness.

637. anne [n] *mother*

Geçmişte on sekiz yaşında **anne** olmak normal karşılandıysa bile günümüzde çocuk sahibi olmak için çok genç yaş olarak sayılır.

Although in the past being a **mother** at the age of eighteen was seen as normal, today it is regarded as a very young age to have a child.

638. ünlü [adj] *famous*

Türkiye'deki birçok **ünlü** yazar ve düşünür, zamanının çoğunu İstanbul'da geçirdiği için eserlerinin üzerinde İstanbul'un etkisi büyüktür.

As so many **famous** writers and philosophers in Turkey have lived in Istanbul for most of their times, the effect of Istanbul is huge on their works.

639. kapsamında [postp] *within (the scope of) / as part of*

Halen garanti **kapsamında** olduğu için ücretsiz olarak tamir ettirebilirsiniz.

Because it is still **within** guarantee, you can get it fixed for free.

640. dair [adv] *about*

Yarınki seminerde eğitime **dair** ne varsa konuşup tartışacağız.
We will talk and discuss everything **about** education in
tomorrow's seminar.

641. etkili [adj] *effective*

Ağır bir soğuk algınlığı geçirdiğim için çabuk **etkili** bir ilaç
kullanmak istiyorum.
I want to use a quick **effective** medicine because I have a serious
flu.

642. zarar [n] *damage*

Dün geceki kazada arabanın büyük **zarar** görmesine rağmen en
azından ciddi yaralı olmadığı için şanslıydık.
Even though the car had huge **damage** from yesterday night's
accident, we were lucky there were no seriously injured victims.

643. sırada [adv] *in the line*

Yarınki konsere bilet almak için neredeyse 3 saattir **sırada**
bekliyorum, ama artık çok yorgun hissediyorum.
I have been waiting **in the line** for almost 3 hours to buy the
tickets for tomorrow's concert, but I feel so tired now.

644. edilmesi [ptcp] *be done + (verb-3)*

Bu kadar çaba ve zaman harcadığı için en çok şefimize teşekkür
edilmesi gerek.
As he has spent so much effort and time, he should **be thanked**
the most.

645. kararı [n] [poss] *decision*

Mahkeme **kararı**na göre iki çocuğun velayeti anneye verildi, ancak
babanın da görüş hakkı olmasında sakınca görülmedi.

According to the Court **decision**, the custody of the two children was given to the mother, yet there was no opposition against the father to not give him a right to see them.

646. oy [n] *vote*

Demokrasiye göre ulusal seçimlerde 18 yaşı ve üzeri her T.C. vatandaşının **oy** kullanmaya hakkı vardır.

According to democracy, every T.C. citizen who is 18 or older has the right to cast their **vote** in the national elections.

647. soru [n] *question*

Annemden duydum ki çocukken çok **soru** soranlardanmışım ben de.

As I heard from my mother, I was one of those kids who asked too many **questions**.

648. anlamda [adj] *kind of*

Ne **anlamda** bir ilişkiden bahsedebilirim bilmiyorum ama bir şeyler hissediyorum.

I don't know what **kind of** relationship I can talk about, but I feel something.

649. düşük [adj] *low*

Patronum son zamanlarda bazı çalışanlardan **düşük** verim aldığı için onları işten çıkarmayı düşünüyor.

My boss is thinking about firing some of his employees because he's having **low** productivity from them nowadays.

650. ayında [prep] *in (on) the month (of)*

İşe ocak **ayında** başlamıştım ancak daha fazla devam etmek istemediğim için haziran **ayında** ayrıldım.

I started the job **in the month of** January, but I quit **in the month of** June as I didn't want to continue anymore.

651. dakika [n] *minute(s)*

Her gün okula gitmek için 30 **dakika** yürümek zorundayım çünkü herhangi bir otobüs hattı yok.
Every day I have to walk 30 **minutes** to go to school because there is no bus route.

652. ocak [n] *January*

Ocak ayı yılın ilk ayıdır.
January is the first month of the year.

653. biçimde [adv] *in the way that*

Annem her zaman bir şey yapıyorsan daima en iyi sonucu alacak **biçimde** yap der.
My mother always says whatever you do, always do it **in the way that** can give you the best result.

654. bebeği [n] **the baby**

Yaşlı kadın **bebeği** beşiğine koydu.
The old lady put **the baby** in his crib.

655. anayasa [n] *constitution*

Son günlerde mecliste, yeni **anayasa** değişikliği tartışılıyor.
A new change in **constitution** is being discussed in the parliament nowadays.

656. sivil [n] *civilian*

Türkiye'nin bağımsızlık savaşında askerlerle birlikte birçok **sivil** de ülkesi için savaştı.
Many **civilians** fought for their country with the soldiers during Turkey's independence war.

657. herkesin [adj] *everybody's*

Güven ve refah içinde yaşamak **herkesin** hakkıdır.
Living in safety and wellness is **everybody's** right.

658. derneği [n] *organization of*

İşçi **Derneği** 1 Mayıs'ta İşçi Bayramı için büyük bir protesto yapmayı planlıyor.
Labour **Organization** is planning to make a big protest for the Labor Day on the 1st of May.

659. nedir [pron] *what (is it)*

Hayatında duyduğun en büyük pişmanlık **nedir**?
What is the biggest regret you have in your life?

660. ihtiyaç [n] *need*

Anne ve baba çocuklarının en azından en temel **ihtiyaç**larını karşılayabiliyor olmalıdır.
A mother and father should be able to meet their children's basic **needs**, at least.

661. akşam [adv] *night*

Genelde **akşam** saat 11 civarında trafik çok sakin olur.
Usually the traffic is very calm around 11 o'clock **at night**.

662. düşünüyorum [v] *I'm thinking*

Son günlerde kariyerimde doğru seçimi yapabildim mi diye **düşünüyorum**.
Lately, **I'm thinking** if I could make a good decision in my career life.

663. olma [n] *occurrence*

Problem **olma** halinde en kısa zamanda beni bilgilendirirseniz yardımcı olurum.

I would help you if you let me know immediately in case of the **occurrence** of a problem.

664. sanayi [n] *industry*

Sanayi ürünü kıyafetler özel tasarım kıyafetlere göre daha uygun fiyatlıdır.

Industry produced clothes have more reasonable prices than custom design clothes.

665. öncelikle [adv] *first of all*

Toplantımızda **öncelikle** bu konu hakkında konuşmak isterim.

First of all, I would like to talk about this topic at our meeting.

666. yalnız [adj] *alone*

Üniversitenin ilk yılında **yalnız** olmama rağmen sonraki yıllarda birçok arkadaş edindim.

Although I was **alone** in the university in my first year, I got many new friends in the next years.

667. doğu [n] *east*

Doğu Ekspresi ile Türkiye'nin batısından **doğu**suna kadar trenle gidebilirsiniz.

You can go from west to the **east** of Turkey by train with **East** Express.

668. tespit [n] *detection*

Bu kadar az veriden **tespit** yapmak çok zor.

It's too hard to make a **detection** from so little data.

669. dil [n] *language*

6 yaşında olmasına rağmen 3 farklı **dil**de konuşabiliyor.
Although he is six years old, he can speak three different
languages.

670. Müslüman [n] *Muslim*

Türkiye'deki nüfusun büyük bir çoğunluğu **Müslüman'**dır.
A big majority of Turks are **Muslims**.

671. meclis [n] *parliament*

Türk **meclis**i vatandaşların seçimleriyle oluşturulmuştur.
The Turkish **Parliament** is formed by the votes of the citizens.

672. can [n] *life*

Oyundaki üç **can**dan ikisini ilk dakikada kaybettim.
I lost two out of my three **lives** in a minute.

673. sayıda [adj] *number of*

2010 yılındaki büyük depremde birçok **sayıda** insan hayatını
kaybetti.
A great **number of** people lost their lives in the big 2010
earthquake.

674. elbette [adv] *of course*

Elbette istersen o üniversiteye kabul edilebilirsin, tek yapman
gereken kendine inanmak!
Of course, you can be accepted to that university if you want it, all
you need to do is believe in yourself!

675. önem [n] *importance*

Geleceğine yeteri kadar **önem** vermezsen hiçbir şey başaramazsın.
If you don't place **importance** on your future you can never
succeed at anything.

676. PKK [n] *PKK (a terrorist group in Turkey)*

PKK ile ilişkisi olan resmi ve özel kurumlara hukuki işlem başlatıldı.
A legal act was applied for the official and private organizations that are related to **PKK**.

677. sayılı [adj] *limited*

Bu çok özel bir gösteri olduğu icin biletler **sayılı**.
As this is a very special show, the tickets are **limited**.

678. asla [adv] *never*

Bir daha **asla** bu yurtta kalmayacağım!
I will **never** stay in this dormitory again!

679. pazar [n] *Sunday*

Pazar akşamları genelde sakindir çünkü birçok insan yeni bir hafta için hazırlanmakla meşguldür.
Sunday nights are usually quiet because many people are busy with getting prepared for the new week.

680. sistem [n] *system*

Satın alalı 2 yıl olmasına rağmen bu bilgisayarın çalışma **sistem**ini bir türlü anlayamadım.
Even though it's been 2 years since I bought it, I can't understand the operating **system** of this computer.

681. futbol [n] *football*

Futbol Türkiye'deki en popüler spor olarak görülür çünkü herkesin desteklediği bir **futbol** takımı vardır.
Football is seen as the most popular sport of Turkey, as everyone supports a **football** team.

682. döneminde [postp] *in the period*

Osmanlı **döneminde** birçok farklı millet tek bir imparatorluk altında yaşıyordu.

In the period of Ottoman, many different nationalities were living under the same empire.

683. günlerde [adv] *in days of ...*

Güneşli **günlerde** insanlar daha aktif olurlar çünkü kış günlerinden daha sık dışarı çıkarlar.

In days of sunny weather, people are more active as they go out more often than winter.

684. tan [n] *twilight*

Tan vakti yıldızları izlemekten çok hoşlanırım.

I like to watch the stars during **twilight**.

685. asıl [adj] *real*

İşin **asıl** zor yanı, zor durumda karşılaştığında nasıl davranacağını bilememek.

The **real** challenge is when you're faced with a hard situation and don't know how to act.

686. işçi [n] *worker*

Şirket barındırdığı personel sayısını düşürünce birçok **işçi** bu durumu protesto etti.

When the company reduced the number of its employees, lots of **workers** protested this situation.

687. halkın [n] *of the public*

Politikacılar her zaman **halkın** güvenini kazanmanın bir yolunu bulur.

Politicians always find a way to get the trust **of the public**.

688. haziran [n] *June*

Haziran ayı yaz tatilinin başlangıcı olarak görülür.
June is seen as the start of summer vacation.

689. dahi [n] *genius*

Bu defiledeki kıyafetleri kim tasarladıysa kesinlikle bir **dahi** olmalı.
Whoever designed the clothes from this fashion show must definitely be a **genius**.

690. değerli [adj] *precious*

Seni çok **değerli** arkadaşım Buse ile tanıştırmak istiyorum, kendisini çocukluktan beri tanırım.
I want to introduce you to my **precious** friend Buse, I know her since our childhood.

691. meslek [n] *occupation*

O kadar buluşmamıza rağmen, meşgul olduğu **meslek** nedir diye sormak aklıma gelmedi.
Although we met so often, I never thought about asking his **occupation**.

692. nisan [n] *April*

Her yıl 23 **Nisan** Türkiye Cumhuriyeti'nin Ulusal Egemenlik ve Çocuk Bayramı olarak kabul edilir.
Every 23rd of **April** is accepted as the National Sovereignty and Children's Day of the Republic of Turkey.

693. beyaz [adj] *white*

Evin içinde koyu tonları pek sevmiyorum, bu yüzden duvarları **beyaz**a boyamak istiyorum.
I do not like dark colors in the house, that's why I want to paint the walls in **white**.

694. devletin [n] *of state*

Devletin sağladığı hizmetleri kullanmak vatandaş olarak en temel hakkımız.

As citizens, benefiting from the services **of the state** is our basic right.

695. sonraki [adj] *next*

Kitabın geri kalanını **sonraki** haftaya kadar okumuş ve özetini yazmış olun lütfen.

Please read and write the summary of the rest of the book by **next** week.

696. unuttum [v] *I forgot*

Bu akşam patronumun yemeğe geleceğini sana söylemeyi **unuttum**.

I forgot to tell you that my boss is coming for dinner tonight.

697. internet [n] *web/internet*

Okulumuzun **internet** sitesinde sınav takvimi de var.

The exam schedule is written on the school **website**.

698. diyerek [adv] *saying*

"Her zaman sana göz kulak olacağım," **diyerek** neyi kastetmiş olabilir anlayamadım.

I couldn't get what he wanted to mean by **saying** "I will always take care of you,".

699. yüz [n] *face*

Yüzündeki makyaj profesyonel bir makyözün elinden çıkmış gibi görünüyor.

The makeup on her **face** looks like a job of a professional makeup artist.

700. hak [n] *right*

İstediğim zaman çocukları görebilmek benim de **hakkım**.

Seeing my children whenever I want is also my **right**.

701. işin [n] *your job*

Yemek yapmak benim işimse, bulaşıkları yıkamak da senin **işin**.

If cooking is my job, then washing the dishes is **your job**.

702. sağlıklı [adj] *healthy*

Yeni yılda **sağlıklı**, mutlu ve hep bir arada olalım istiyorum.

I want us to be **healthy**, happy, and always together in the new year.

703. yıldır [adv] *for ... years*

8 **yıldır** bu evde yaşıyorum ama artık taşınmak istiyorum.

I have been living in this house **for** 8 **years** but now I want to move.

704. adım [n] *step*

Her gün en az on bin **adım** atmak sağlığa çok faydalıdır.

Taking at least ten thousand **steps** everyday is very good for your health.

705. hazır [adv] *ready*

Akşam yemeği **hazır** olduğunda beni çağırır mısın?

Can you call me when the dinner is **ready**?

706. kasım [n] *November*

Kasım ayı için planlanan programın dışına çıkmışsınız.

You are out of the plan prepared for **November**.

707. ister [v] *wants*

Bir anne çocuğunun mutlu olmasından başka ne ister?

What else does a mother **want**, other than wishing her child to be happy?

708. şehir [n] *city*

2 yıldır bu **şehir**de yaşıyorum ama artık başka bir **şehir** denemek istiyorum.

I've been living in this **city** for two years but now I want to try a new **city**.

709. olumlu [adj] *negative*

Bu programın gençler üzerinde **olumlu** etki yarattığını düşünüyorum.

I think this program has a **negative** effect on young people.

710. tane [adv] *piece(s)*

Kahvaltıda bir **tane** ekmek yedim.

I ate one **piece** of bread for breakfast.

711. öne [adv] *forward*

Bileti okutmak için **öne** doğru eğilirken yaşlı bir teyzeye çarptım.

As I leaned **forward** to enter my ticket, I bumped into an old lady.

712. ara [adj] *side*

Ara sokaklarda akşam saati gezinmek çok da güvenli değil açıkçası.

Wandering around the **side** streets is not actually safe.

713. genellikle [adv] *usually*

Kediler **genellikle** gündüzleri uyumayı severler, bu yüzden sürekli evin rastgele yerlerinde uyuyakalırlar.

Cats **usually** like to sleep during the day, which is why they often fall asleep in random places of the house.

714. kendilerine [adv] *themselves*

15 yıldır kirada yaşadıktan sonra nihayet **kendilerine** ait bir evleri olmuştu.

After living in a rented house for fifteen years, they finally had a house they owned **themselves.**

715. net [adj] *clear*

Müşterilere açılış için **net** bir tarih vermek çok zor çünkü henüz ürünlerin teminatı tamamlanmadı.

It's too hard to give a **clear** date for opening because the delivery of the products hasn't been done yet.

716. rahat [adj] *comfortable*

Askerde geçen iki yıldan sonra **rahat** bir yatakta uyumayı özledim

After spending two years in the military, I missed sleeping in a **comfortable** bed.

717. arasına [adv] *between*

Kitapların **arasına** senin için bırakmış olduğum notu buldun m?

Did you find the note I left for you **between** the books?

718. ülkede [adv] *in a/the country*

Demokrasi ile yönetilen bir **ülkede** yaşıyor olmamıza rağmen halen demokrasi karşıtı propagandalar devam ediyor.

Although we're living **in a country** that is run by democracy, still there are some anti-democracy propagandas.

719. olması [ptcp] *be/being/that it is*

Bugünün çarşamba **olması**na rağmen işi teslim ettim.

Although today **is** Wednesday, I delivered the work.

720. idi [v] *was/were*

Dün altıncı evlilik yıl dönümümüz idi.

Yesterday **was** the sixth-year anniversary of our marriage.

721. demokratik [adj] *democratic*

Türkiye **demokratik** bir yöntemle yönetilmektedir.

Turkey is run by a **democratic** policy.

722. grubu [n] [poss] *group of*

Küçükken en sevdiğim müzik **grubu** One Direction'dı.

When I was a kid, my favorite music **group** was One Direction.

723. mesela [adv] *for example*

Turunçgillerin hepsi turuncu değildir, **mesela** greyfurt ve limon.

Not all the citrus fruits are orange, **for example** grapefruit and lemon.

724. yerinde [adv] *appropriate*

Her şey **yerinde** gibi gözüktüğü için, müdahale etmeme gerek kalmadı.

As everything seemed **appropriate,** I didn't need to intervene.

725. alanda [adv] *field*

Ünlü bilim insanı ve yazar Yaşar Öztürk, özellikle bu **alanda** bir profesyonel sayılır.

Famous scientist and writer Yaşar Öztürk is especially seen as professional in this **field**.

726. teslim [n] *submission*

Projenin son **teslim** tarihi 20 Nisan olarak açıklandı.

The latest **submission** date of this project is announced as the 20th of April.

727. ceza [n] *punishment*

Yapılan her suçun kanun tarafından belirlenen bir **cezası** vardır.
Every crime that is committed has a **punishment** determined by
the law.

728. yönetimi [n] *management of*

Sınıf **Yönetimi** dersi bütün öğretmen adayları için gerekli bir
derstir.
Classroom **Management** course is necessary for all teacher
candidates.

729. sonrasında [adv] *after*

Okul **sonrasında** arkadaşlarımla birlikte sinemaya gideceğim.
I will go to the cinema with my friends **after** school.

730. olduğuna [ptcp] *now that*

Sen de burada **olduğuna** göre artık bu konuyu konuşabilirz.
Now that you're also here I think we can talk about this topic.

731. yavaş [adj] *slow*

Bu bilgisayarı alalı daha bir yıl bile olmadı ama şimdiden çok
yavaş!
It hasn't even been a year since I bought this computer but it's
already so **slow**!

732. uygulama [n] *application*

Yeni geliştirdiğimiz bu Android **uygulaması** ile istediğiniz her an
müzik dinleyebileceksiniz.
With this Android **application** we recently developed, you can
listen to music whenever you want.

733. seni [pron] *you*

Seni seviyorum ama son zamanlarda bana karşı davranışların hoşuma gitmiyor.

I love **you,** but I don't like your attitudes towards me nowadays.

734. yol [n] *road*

Bu **yol**a ne deniyor biliyor musun?

Do you know what this **road** is called?

735. iletişim [n] *contact*

İletişim bilgilerimi mail yoluyla bu akşam size ileteceğim.

I will send you my **contact** information tonight by mail.

736. bende [n] *in me*

Bende bu kadar hoşlanmadığın ne var bilmek istiyorum.

I want to know what is **in me** that you don't like this much.

737. üçüncü [adj] *third*

Aynı hatayı **üçüncü** kez tekrarlarsan seninle bir daha konuşmayacağım.

If you repeat the same mistake for the **third** time, I'm not going to talk to you again.

738. alarak [ptcp] *by taking*

Bu yatırım işine bütün riskleri göze **alarak** başladım.

I started this investment job **by taking** all the risks.

739. baş [n] *head*

Yoğun iş temposu nedeniyle, **baş**ımı kaşımaya vaktim yok.

Due to the intense work pressure, I don't even have time to stretch my **head.**

740. açıklamada [n] *explanation*

Okul müdüründen gelen **açıklamada** kılık ve kıyafete karşı büyük bir disiplin göze çarpıyordu.
According to the **explanation** by the school principal, the strict rules for clothing were on point.

741. aralık [n] *December*

Aralık ayında birçok mağazada yılbaşı indirimleri mevcuttur.
There are lots of Christmas discounts in many shops during **December**.

742. dolu [adj] *full*

Tren garı sevdiklerini karşılamak için bekleyenlerle **dolu**.
The train station is **full** of people waiting for the people they love.

743. üye [n] *member*

Öğrenciyken birçok okul kulübüne **üye** idim.
When I was a student, I was a **member** of many school clubs.

744. tarım [n] *agriculture*

Tarım ve Hayvancılık Bakanlığı fındık fiyatlarını arttırdı.
The Ministry of **Agriculture** and Stockbreeding increased the prices for hazelnut.

745. hepsi [adv] *all, all of*

Öğrencilerin **hepsi** okul töreni için sıraya girdi.
All of the students came into line for the school ceremony.

746. yılda [adv] *in a year*

Yılda en az 3 kez ailemle birlikte Uludağ'a kayak yapmaya giderim.
I go skiing with my parents in Uludağ at least 3 times **a year**.

747. bulundu [v] *was/were found*

Arkadaşımın evinde kaybettiğim eldivenlerim 3 gün sonra tekrar gittiğimde **bulundu**.

The gloves I lost in my friend's house **were found** 3 days after I went again.

748. hayır [n] *no*

İnsanların seni kullanmasını istemiyorsan "**hayır**" demeyi öğrenmelisin.

If you don't want others to use you, you should learn how to say "**no**".

749. görmek [v] *see*

Bunca yolu sırf beni **görmek** için mi geldin gerçekten?

Did you really come all the way here only to **see** me?

750. oysa [conj] *though*

Oysa ben her şey yolunda sanıyordum, meğer ne çok problem varmış.

There were so many problems, **though** I thought everything was all right.

751. çalışmalar [n] *works*

Sabahattin Ali edebiyat alanındaki **çalışmalar**ıyla ünlü bir yazardır.

Sabahattin Ali is a famous writer known for his **works** in the literature field.

752. acaba [interj] *I wonder if*

Randevum olmamasına rağmen kuafore girmeme izin verirler mi **acaba**?

I wonder if they would let me in even though I don't have an appointment.

753. hayata [adv] *to life*

Mustafa Kemal Atatürk 10 Kasım 1938 yılında **hayata** gözlerini yumdu.

Mustafa Kemal Atatürk passed away from this **life** on 10 November 1938.

754. partisi [n] *party (of/for)*

İlkokul arkadaşım Sude bu akşam için beni doğum günü **partisine** çağırdı.

Sude, my friend from elementary school, invited me to the birthday **party** for tomorrow.

755. yardımcı [n] *assistant*

Okula kayıt yaptırmak için müdür **yardımcısıyla** görüşmelisiniz.

You can talk to the **assistant** manager to enter this school.

756. kesinlikle [adv] *absolutely*

Olayların tahmin ettiğim gibi gittiğine **kesinlikle** eminim.

I am **absolutely** sure that the things happened as I guessed.

757. neler [pron] [pl] *what*

Dünkü üniversite gezisine gelmeyerek **neler** kaçırdın bir bilsen.

You don't know **what** you missed by not coming to the university trip yesterday.

758. etmiş [v] *did*

O çocuğun sözlerine inanmayarak çok iyi **etmiş**!

She **did** well by not believing that child's words!

759. çocuklar [n] *children*

Bu akşam **çocuklar** için hazırlanmış çok güzel bir etkinlik var.

Tonight there is a very good event prepared for **children**.

760. birisi [pron] *someone*

Birisi bana burada ne olduğunu açıklayabilir mi artık?

Can **someone** explain to me what's going on here please?

761. yapıyor [v] *be doing*

Bu saatte sokakta ne **yapıyor** çok merak ediyorum doğrusu.

I really wonder what he's **doing** in the streets at this hour.

762. edip [ptcp] *by doing*

Bu sınavı ne yapıp **edip** geçmem gerektiğini biliyorum.

I know that I need to pass this exam **by doing** whatever I can.

763. yaz [n] *summer*

Çok geçmeden **yaz** tatili için bir yer arayışına başlamamız lazım, yoksa her yer dolu olacak.

We need to start looking for a place for the **summer** holiday or else everywhere will be full.

764. bilgiler [n] [pl] *information*

Farklı türlerden kitap okuyarak yeni **bilgiler** öğrenme şansımız var.

We have a chance to get new **information** by reading books with different genres.

765. alıp [adv] *taking*

Kardeşimi okuldan **alıp** hemen yanınıza geleceğim.

I will come to your place right after **taking** my sister from school.

766. Fenerbahçe [n] *Fenerbahçe* (a football team in Turkey)

Eda fanatik olduğu için, havanın soğuk olmasına rağmen **Fenerbahçe** maçına gideceğini söyledi.

113

As Eda was a fanatic, she said she would go to the **Fenerbahçe** match, even though the weather was cold.

767. neden [n] *reason*

Bu kadar geç kalmanın umarım mantıklı bir **neden**i vardır, yoksa başın belaya girecek.

I hope you have a logical **reason** to be late or else you will get into trouble.

768. gösteren [ptcp] *showing*

Çıkış yönünü **gösteren** tabelaları takip ederek alışveriş merkezinden çıktık.

We left the shopping mall by following the signs **showing** the way to exit.

769. .com [n] *.com*

Gerekli bilgileri www.lingomastery.**com** adresinden bulabilirsin.

You can find the necessary information on www.lingomastery.**com**.

770. Türkçe [n] *Turkish*

Türkçe dünyadaki en zor dillerden birisi olarak kabul edilir.

Turkish is regarded as one of the hardest languages in the world.

771. etmek [adv] *to do*

Bu çocukça davranışlarınla ne **etme**ye çalışıyorsun anlayamıyorum.

I can't understand what you're trying **to do** by acting childishly.

772. modern [adj] *modern*

Modern edebiyat, klasik edebiyata tepki olarak doğmuştur.

Modern literature was born as a reaction to the classical literature.

773. kimi [pron] *who*

Bu okuldaki öğretmenlerin arasından en çok **kimi** seviyorsun?
Who do you love the most among your teachers in this school?

774. sıcak [adv] *hot*

Kahvenin **sıcak** olduğunu unutup içmeye çalıştı ama dili yandı.
He forgot that the coffee was **hot** and tried to drink, but he burned his tongue.

775. hukuk [n] *law*

Sekiz yıldır **hukuk** fakültesindeyim ancak daha okulu bitiremedim.
I have been in the **law** faculty for eight years but still I couldn't finish school.

776. araç [n] *vehicle*

Bu alana **araç** park edilmesi yasaktır, aksi takdirde para cezası uygulanacaktır.
It is forbidden to park a **vehicle** in this area, otherwise a cash fine will be applied.

777. kesin [adj] *certain*

Türkiye'ye **kesin** dönüş tarihin belli mi?
Is there a **certain** date for your return to Turkey?

778. değişik [adj] *interesting*

Kendi doğum günü partisi için seçtiği kıyafet epey **değişik**ti doğrusu.
Her costume for her own birthday party was very **interesting** indeed.

779. program [n] *program*

Festival **programına** baktık ama bu gece için herhangi bir etkinlik yoktu.

We checked the festival **program** but there was no event for tonight.

780. bölüm [n] *chapter/episode*

Kitabın son **bölümünde** neler olacağını çok merak ediyorum.

I am so curious about what's going to happen in the last **chapter** of the book.

781. ondan [adv] *from him/her/it*

Ondan bir şey bekleyeceğime, kendi işimi kendim yapmayı tercih ederim.

I would prefer doing my own business instead of waiting for something **from him**.

782. temmuz [n] *July*

Temmuz ayında İstanbul'da çok önemli bir sanat festivali olacak.

There will be a very important art festival in Istanbul in **July**.

783. satın almak [v] *to buy*

İnternet üzerinden **satın aldığım** elbise elime ulaştığında hayal kırıklığı yaşadım, çünkü beğendiğim elbiseyle alakası yoktu.

When I got the dress I **bought** online, I was disappointed because it had nothing to do with the one I liked.

784. alıyor [v] *getting*

Pencereleri bilerek açtım, kapatma lütfen; oda temiz hava **alıyor**.

I opened the windows on purpose; please don't shut them, the room **is getting** fresh air.

785. yatırım [n] *investment*

Şimdiden para biriktirmeye başlayarak ve başka işlerde de çalışarak geleceğe **yatırım** yapıyor.

She is making **investments** for her future by saving money and working at other jobs.

786. vergi [n] *tax*

Her vatandaş aylık kazancına göre devlete **vergi** öder.

Every citizen pays their **taxes** to the state according to their monthly salary.

787. geçtiğimiz [ptcp] *last/that we past*

Geçtiğimiz yıl trafik kazalarının sayısı şimdiki yıla göre %5 daha azdı.

Last year, the number of the traffic accidents were 5% less than this year.

788. öğretim [n] *education*

2019-2020 eğitim **öğretim** yılında tüm öğrencilere başarılar dilerim.

I wish all students success for the 2019-2020 **education** year.

789. yapmış [v] *made*

Annem doğum günüm için kocaman bir yaş pasta **yapmış**.

My mom **made** a huge cake for my birthday.

790. insanlar [n] *people*

İnsanları yargılamadan önce onlarla empati yapmayı denemelisiniz.

You need to try empathizing with **people** before judging them.

791. yaş [n] *years*

65 **yaş** üstü vatandaşlar belediye otobüslerini ücretsiz olarak kullanabilirler.

Citizens of 65 **years** or more can use the public bus for free.

792. ders [n] *lesson*

Üniversitedeyken birçok kişiye İngilizce özel **ders** verdiğim için bu alanda tecrübeliyim.

As I gave private English **lessons** to so many people when I was in the university, I am quite experienced in this field.

793. güneş [n] *sun*

Kış aylarında **güneş** görmeyi özlüyorum gerçekten.

I really miss seeing the **sun** during winter months.

794. talep [n] *demand*

Şirketin aynı ürünü yeniden üretime sokması için yoğun bir **talep** var.

There is a big **demand** for the company to produce the same product again.

795. Antalya [n] *Antalya* (a city in Turkey)

Antalya yaz aylarında birçok turisti ağırladığı için çok kalabalıktır.

Antalya is very crowded during summer because of hosting so many tourists.

796. sonucunda [postp] *as a result of*

Bu olumsuz davranışlarının **sonucunda** alacağın cezayı biliyorsun değil mi?

You know what punishment you will get **as a result o**f your negative behaviors, right?

797. dışı [postp] *outside*

Çocuğum için okul **dışı** eğitim olarak ne yapabilirim sizce?
What do you think I can do for teaching my child **outside** school?

798. boş [adj] *blank*

Sınava hiç çalışmadığım ve derslere hiç gitmediğim için hocaya **boş** kâğıt verdim.
I gave the teacher a **blank** paper because I didn't study at all and never went to the classes.

799. yorum [n] *comment*

Videomun altına hep olumlu **yorum** geldiği için çok mutluyum.
I am so happy that I got only positive **comments** under my video.

800. yapıldı [verb] *took place on*

2018 Milletvekili Genel Seçimleri 24 Haziran 2018'de **yapıldı**.
2018 Parliamentary General Elections **took place on** 24 June 2018.

801. is [n] *soot*

Oturma odasının duvarları **is**le kaplanmıştı.
The walls of the living room were covered with **soot**.

802. serbest [adj] *free*

Öğretmen öğrencilerine "Bu etkinliği yaptıktan sonra **serbest**siniz," dedi.
The teacher said, "You are **free** after you finish this exercise," to her students.

803. üniversite [n] *university*

Üniversiteye başladıktan sonra hayatımda çok şey değişti.
After I started my **university**, so many things changed in my life.

804. satış [n] *sales*

Ekonomik krizden sonra birçok şirket **satış** politikasını değiştirmek zorunda kaldı.
After the financial crisis, lots of companies had to change their **sales** policy.

805. basit [adj] *simple*

Dünkü sınav bu kadar **basit** olmasaydı yüksek puan alamazdım.
If the exam from yesterday hadn't been so **simple**, I couldn't have gotten a good score.

806. giden [ptcp] *sent*

Daha önceden gönderdiğiniz postaları "**giden** posta" kutusunda bulabilirsiniz.
You can find the mails you've sent so far in the "**sent** mail" box.

807. barış [n] *peace*

Devletin en önemli görevi, vatandaşlarının **barış** içinde yaşamasını sağlamaktır.
The most important duty of government is to ensure its citizens live in **peace**.

808. altı [postp] *under*

18 yaş **altı** kişilerin araç kullanması ve alkol satın alması yasaktır.
People **under** 18 are prohibited from driving and purchasing alcohol.

809. yaparak [ptcp] *by doing (something)*

Böyle çocukça davranışlar **yaparak** ne elde edebilirsin bilmiyorum.
I don't know what you can achieve **by doing** these kinds of childish things.

810. sona [adv] *to the end*

Okul **sona** yaklaştıkça, ödevler ve sınavlar arttığı için çok meşgul oluyorum.

As school comes **to the end**, I become so busy because of the homework and exams.

811. İngiltere [n] *England*

İngiltere'den birçok ünlü yazar, sanatçı ve düşünür çıkmıştır.

There are so many famous writers, artists, and philosophers from **England**.

812. -dan [ablative case suffix] *from*

Dün geceki olayı bir de başkasının bakış açısı**ndan** değerlendirmeliyiz.

We should evaluate the incident **from** last night from someone else's point of view.

813. ederim [v] *I do/would do*

Ailem yanımda olmazsa tek başıma ne **ederim**, bilmiyorum.

I don't know what **I would do** alone if I didn't have my family with me.

814. parlak [adj] *bright*

Yıldızlar bu gece **parlak**.

Stars are **bright** tonight.

815. bugüne [adv] *for today*

Fransa'dan aldığım şarabı **bugüne** saklamıştım.

I'd reserved the wine I bought from France **for today**.

816. geçti [v] *passed*

Zor günler **geçti**, artık geleceğe odaklanmalısın.

Hard days have **passed**, now you need to focus on the future.

817. olumsuz [adj] *negative*

Arkadaşının kardeşim üzerinde **olumsuz** etkisi olduğunu düşünüyorum.

I think my sister's friend has a **negative** effect on her.

818. şubat [n] *February*

Şubat diğer ayların arasında en kısa süren aydır.

February is the shortest month among the other months.

819. -le [postp] *with (synonym of "ile" which means "with")*

Her akşam ailem**le** birlikte yemek yer sohbet ederim.

Every evening I eat and chat **with** my family.

820. sol [adj] *left*

Küçüklüğümde kendimi alıştırdığım için, şu an **sol** elle yazı yazabiliyorum.

Now I can write with my **left** hand as I practiced it when I was young.

821. alanında [adv] *in the field of*

Burun estetiği **alanında**, Murat Bey bu hastanedeki en iyi cerrahtır.

Mr. Murat is the best surgeon in this hospital **in the field of** rhinoplasty.

822. sanırım [adv] *I guess*

Sanırım arkadaşımın bir problemi var çünkü dün gördüğümde morali bozuktu.

I guess my friend has a problem because when I saw her yesterday, she seemed upset.

823. yazar [n] *writer*

Yarınki kitap fuarına birçok ünlü **yazar** konuk oluyor.

Many famous **writers** will join the book fair tomorrow.

824. program [n] *program*

Koçumdan sıkı bir egzersiz **programı** yazmasını istedim.

I asked for a strict exercise **program** from my coach.

825. kendilerini [adv] *themselves*

Bu üniversitedeki öğrenciler **kendilerini** daha iyi hissetmek için her zaman çok çalışırlar.

The students in this university always study hard to make **themselves** feel better.

826. bilgisayar [n] *computer*

Doğum günümde babamdan hediye olarak **bilgisayar** aldım.

I received a **computer** from my father for my birthday.

827. yapı [n] *structure*

Bu binanın **yapısı** çok sağlam olmadığı için deprem anında kolayca yıkılabilir.

This building can be collapsed easily during an earthquake because its **structure** isn't so solid.

828. Galatasaray [n] *Galatasaray* (a football team in Turkey)

Galatasaray, Şampiyon Kulüpler Kupası'na katılan ilk Türk takımıdır.

Galatasaray is the first Turkish football team that has joined the Champions League Cup.

829. ek [n] *addition*

Amcam düzenli maaşına **ek** olarak, sahibi olduğu iki daireden kira parası alıyor.

In **addition** to his regular salary, my uncle gets the rent money of the two apartments he owns.

830. Fransa [n] *France*

2018 yılında **Fransa**'da değişim öğrencisi olarak 1 yıl yaşadım.

In 2018, I lived in **France** for one year as an exchange student.

831. erken [adv] *early*

Rutin haline dönüştürüldüğünde sabah **erken** saatte kalkmak geç kalkmaktan daha sağlıklıdır.

Waking up **early** in the morning is healthier than waking up late when it's turned into a routine.

832. maç [n] *match*

Haftaya Basketbol Dünya Kupası'nın final **maçı** Berlin'de oynanacak.

Next week, the final **match** of the World Basketball Cup will be held in Berlin.

833. yalnızca [adv] *only*

Kafedeki yarı zamanlı işinden **yalnızca** 1000 Türk Lirası kazanıyormuş diye duydum.

I heard he earned **only** 1,000 Turkish Liras from his part-time job in the café.

834. kredi [n] *credits*

Üniversiteden mezun olmak için en az 30 **kredi**m olması gerek.

I need to have at least 30 **credits** to graduate from my university.

835. arkadaşlar [n] *friends*

Doğum günüm için yakın **arkadaşlar** arasında küçük bir parti düzenlemek istiyorum.

I want to hold a small party with my close **friends** for my birthday.

836. hükümet [n] *government*

Birçok devlet çalışanı **hükûmet** karşıtı söylemlerde bulunduğu için işini kaybetti.

Lots of civil servants lost their jobs due to their speeches against the **government**.

837. sezon [n] *season*

Meyve ve sebzeleri **sezon**unda yemek en sağlıklı yöntemdir.

Eating fruits and vegetables in their **season** is the healthiest way.

838. altın [adj] *golden*

Erkek arkadaşım yıl dönümümüzde bana **altın** kolye aldı.

My boyfriend bought me a **golden** necklace for our anniversary.

839. ortadan [adv] *from/through/in the middle*

Salata için domatesleri **ortadan** ikiye keser misin?

Can you cut the tomatoes **in the middle** for the salad?

840. kazanç [n] *profit*

Satışlar böyle durgun olmaya devam ederse, yeteri kadar **kazanç** elde edemezsin.

You can't earn the **profits** if the sales keep being slow.

841. alanı [n] *field of something/someone*

Psikoloji ilgi **alanı**m olduğu için insanlarla sohbet etmeyi seviyorum.

I like to talk with people because psychology is my **field** of interest.

842. veriyor [v] *(is) giving*

En yakın arkadaşım üniversitede edebiyat dersi **veriyor**.
My best friend **is giving** a literature class in university.

843. merak [n] *curiosity*

Merak, öğrenmek için en etkili etkendir.
Curiosity is the most efficient factor for learning.

844. yapmaya [ptcp] *to do*

Bazen ne **yapmaya** çalıştığını anlayamıyorum.
Sometimes, I can't understand what you're trying **to do**.

845. canlı [adv] *alive*

Dün gece binada çıkan yangından herkes **canlı** olarak kurtulabildi.
Everyone could stay **alive** despite the fire in the building.

846. geçmiş [n] *past*

Sürekli **geçmişi** düşünmekle hiçbir şey elde edemezsin.
You can't make anything by thinking about the **past** all the time.

847. bulunuyor [v] *be (am, is, are)*

Belediye binasının önünde bir heykel **bulunuyor**.
There **is** a monument in front of the city hall.

848. sebep [n] *reason*

Son günlerde yaptığı garip davranışların **sebebini** öğrenmek istiyorum.
I want to know the **reason** of the strange behaviors he does lately.

849. hakları [n] *(his/her/its/their) rights*

Çocuk **hakları** savunucusu birçok politikacıya ihtiyacımız var.
We need many politicians who support children's **rights**.

850. edilir [v] *be made*

Her yıl sonu, iyi yeni yıl duaları **edilir**.
Every end of the year, happy new year wishes **are made**.

851. etme [n] *making*

O kişi beni sana düşman **etme** amacıyla benimle arkadaş oldu.
That person became my friend for the purpose of **making** me and you enemies.

852. bulunmaktadır [v] *be (am/is/are)*

Dikkat! Bu yolda tadilat **bulunmaktadır**.
Attention! There **are** repairs in this road.

853. aşırı [adv] *over*

Aşırı spor yapmak kaslara ciddi hasar verebilir.
Over-exercising may cause serious harm on the muscles.

854. gören [ptcp] *seeing*

Pencereden içeriyi **gören** biri var mı, kontrol eder misin?
Can you check if there is anybody **seeing** from inside the window?

855. öncesi [postp] *before*

Cumhuriyet **öncesi** eğitim devlete ait değildi.
Education didn't belong to the state **before** the Republic.

856. içi [postp] *inside*

Ev **içi**nde rahat kıyafetler giymeyi seviyorum.
I like to wear comfy clothes **inside** the house.

857. bakan [n] *minister*

Ekonomi **bakanı** önümüzdeki ay devlet memuru maaşına %10 zam geleceğini duyurdu.

The **Minister** of Economy announced that the salary of state officials will receive a 10% raise next month.

858. turizm [n] *tourism*

Turizm Ege Bölgesi'nde çok önemli bir ekonomik gelir kaynağıdır.

Tourism is a very important economic source of income for the Aegean Anatolian Region.

859. getiren [ptcp] *bringing*

Çocuk sahibi olmak, beraberinde ciddi sorumluluk **getiren** bir tecrübedir.

Having a child is an experience **bringing** serious responsibilities.

860. kara [adj] *black*

Tarihte ilk kez uzaydaki bir **kara** deliğin fotoğrafı çekildi.

For the first time in history, the picture of a **black** hole in space has been taken.

861. güney [n] *south*

Güney insanı genelde enerjik ve neşeli olur.

People in the **south** are usually energetic and happy.

862. not [n] *note*

Soruları yanıtlamaya başlamadan önce, açıklama **not**unu lütfen dikkatle okuyunuz.

Please read the explanatory **note** carefully before starting to answer the questions.

863. giderek [ptcp] *gradually*

Dedemin hastalığı **giderek** ağırlaşıyor.

My grandfather's illness is **gradually** getting worse.

864. sınıf [n] *class*

Ablam **sınıf** öğretmeni olarak çalışıyor.
My older sister is working as a **class** teacher.

865. açıklama [n] *explanation*

Dün akşamki yanlış anlaşılmadan sonra bir **açıklama** bekliyor.
She is waiting for an **explanation** after last night's misunderstanding.

866. durumunda [adv] *in case (of)*

Aciliyet **durumunda** lütfen bu numaradan bana ulaşınız.
Please contact me from this number **in case** of an emergency.

867. işaret [n] *sign*

Okulda **işaret** dili eğitimi alıyorum.
I am taking a **sign** language education course in the school.

868. tv [n] *television*

Gündelik hayatımda **tv** programı izlemem.
I don't watch **television** programs in my daily life.

869. okul [n] *school*

5 yıl önce **okul**u bitirdim ancak halen işsizim.
I finished **school** 5 years ago but I'm still unemployed.

870. projesi [n] [poss] *project of*

TÜBİTAK **Projesi** kapsamında okuldan üç öğrenci katılımcı olarak seçildi.
Three students from the school have been chosen as participants for the TÜBİTAK **Project**.

871. imza [n] *signature*

Bu kredi kartına sahip olmak için babamın **imza**sına ihtiyacım var.

I need my father's **signature** to get this credit card.

872. yıllar [n] [pl] *years*

Yıllar ne kadar da çabuk geçiyor, bugün 30 yaşıma girdiğime inanamıyorum.

Years pass so quickly, I can't believe I become thirty today.

873. derin [adj] *deep*

Onunla her zaman **derin** konular hakkında konuşabiliyorum.

I can talk about **deep** subjects with her all the time.

874. birer [adj] *one*

Aşağıdaki kelimeleri birer cümle içinde kullanınız.

Please make **one** sentence with **each** of the words below.

875. gücü [n] [poss] *power of*

Kadının **gücü** hafife alınamaz!

Women's **power** cannot be underestimated!

876. ağustos [n] *August*

30 **Ağustos**, Türkiye'nin milli Zafer Bayramı'dır.

August 30 is the national Victory Day of Turkey.

877. dedim [v] *I said*

Patronuma "İşten bir günlük izin almaya ihtiyacım var," **dedim**.

I **told** my boss that I need a day off.

878. vahşi [adj] *wild*

Avusturalya'daki kuzenim **vahşi** yaşam fotoğrafçısı.

My cousin in Australia is a **wild** animal photographer.

879. elektrik [n] *electricity*

Yarın saat 15.00'de 2 saatlik bir **elektrik** kesintisi olacak.
There will be an **electricity** cut for 2 hours tomorrow at 15:00.

880. binlerce [adj] *thousands of*

Binlerce insan yeni yılı coşkuyla kutladı.
Thousands of people celebrated the new year with excitement.

881. olmak [adv] *to be (something)*

Her zaman ona karşı nazik **olma**ya çalıştım.
I've always tried **to be** kind to him.

882. sağ [adj] *right*

Sağ kolumu kırdığım için sol elimle yemek yemek zorundayım.
As I broke my **right** arm, I have to eat with my left arm instead.

883. temsil [n] *representative*

Şirketimizi **temsil** etmekten gurur duyarım.
I would be proud to be the **representative** of our company.

884. et [n] *meat*

Et ürünleri yüksek oranda protein içerir.
Meat products include high levels of protein.

885. içindeki [adj] *which is inside of*

Kutunun **içindeki** pasta sana mı ait?
Does the cake **inside of** the box belong to you?

886. etmek [v] *doing*

Oyunu kazanmak için başka ne **etme**si gerek bilmiyorum.
I don't know what else he needs to **do** to win the game.

887. zira [conj] *because*

Umarım yarın geç kalmazsın **zira** bekletilmekten hiç hoşlanmam.

I hope you aren't late tomorrow **because** I don't like to be kept waiting.

888. kuzey [n] *north*

Türkiye'nin **kuzey**inde çay ve fındık yetişir.

Tea and hazelnuts are grown in the **north** part of Turkey.

889. Bursa [n] *Bursa (a city in Turkey)*

Bursa Marmara Bölgesi'nde olan bir şehirdir.

Bursa is a city in the Marmara Region.

890. kişiler [n] [pl] *persons, people*

Kişiler arasında çeşitli anlaşmazlıklar olabilir.

There may be various misunderstandings between **people**.

891. günde [prep] *in a day*

Bu ilacı **günde** 3 kez içmen gerek.

You need to take this medicine 3 times **a day**.

892. aydın [adj] *literate/intellectual*

Ülkemizin birçok **aydın** kişiye ihtiyacı var.

Our country needs many **literate** people.

893. olacağını [ptcp] *that (it) would happen*

Böyle **olacağını** nereden bilebilirim ki?

How can I know that these things **would happen**?

894. dünyaya [adv] *to the world*

Dünyaya sadece bir kez gelebiliriz.

We can come **to the world** only once.

895. söyleyen [ptcp] *saying*

Bunu **söyleyen** kişiyi biliyor musun?
Do you know the person **saying** this?

896. etkisi [n] [poss] *effect of*

Onun çocuğu üzerinde babasının **etkisi** çok büyük.
His father's **effect** on his child is very big.

897. önümüzdeki [adv] *upcoming*

Önümüzdeki yıl çok şey değişecek.
So many things will change in the **upcoming** year.

898. kaydetti [v] *saved*

Saatlerdir uğraştığı dosyayı sonunda **kaydetti**.
She finally **saved** the file she worked on for hours.

899. neredeyse [adv] *almost*

Bugün **neredeyse** hiçbir şey yemedim.
I **almost** haven't eaten anything today.

900. Beşiktaş [n] *A place in Istanbul/a football team in Turkey*

Küçüklüğümden beri ailemle birlikte hep **Beşiktaş**'ı destekmişizdir ve bu asla değişmeyecek.
Ever since I was young, I've been supporting **Beşiktaş** with my family and this will never change.

901. ilginç [adj] *interesting*

Üniversite hayatım boyunca birçok **ilginç** insanla tanıştım ve arkadaş oldum.
I've met and been friends with so many **interesting** people in my university years.

902. edilmiş [v] *had been done (auxiliary verb used with nouns)*

Partiye eski sevgilim de davet **edilmişti**, bu yüzden ben gitmek istemedim.

My ex-boyfriend **had been** also **invited** to party, so I didn't want to go.

903. dini [adj] *religious*

Türkiye'de **dinî** eğitim veren birçok resmi kurum bulabilirsiniz.

You can find so many institutions that provide **religious** education in Turkey.

904. birden [adv] *suddenly*

Sınavı geçtiğini öğrenince **birden** sınıfın ortasında çığlık atmaya başladı.

When she learned that she passed the exam, she **suddenly** started to scream in the middle of the class.

905. İbrahim [n] *Ibrahim* (a male name in Turkey)

Lisedeyken en iyi arkadaşım **İbrahim** ile okulda her türlü belaya bulaşmıştık.

When I was in high school, I was into all kinds of trouble at school with my best friend **Ibrahim**.

906. demokrasi [n] *democracy*

Demokrasinin en doğru yönetim biçimi olduğuna inanıyor musun?

Do you believe that **democracy** is the best method to run a country?

907. adı [n] *(his/her/its) name*

Bu şehir **adı**nı nereden almış hikayesini anlatmamı ister misin?

Do you want me to tell you the story about how this city got **its name**?

908. oyuncu [n] *player*

Beş yaşından beri futbol **oyuncu**su olmanın hayalini kuruyor.
He's dreaming of being a football **player** ever since he was 5 years old.

909. ediyoruz [v] *doing*

Bu yıl da size en iyi hizmeti vermeye devam **ediyoruz**.
We kept **doing** the best service for you this year.

910. ten [n] *skin*

Açık **ten**li olduğum için, güneş altına korumasız çıkarsam cildim zarar görüyor.
Because I have light **skin**, I get damage to my skin easily if I go under sunlight without protection.

911. demektir [v] *means*

Mutluluk sabır gerektirir, sabır ise aynı zamanda saygı **demektir**.
Happiness requires patience and patience **means** respect.

912. aylık [adj] *monthly*

Aylık maaşına ek olarak bir kafede çalışarak ek gelir kazanmaya çalışıyor.
In addition to her **monthly** salary, she works in a café for extra money.

913. yeri [n] *(someone's) seat*

Elimde o kadar eşyayla ayakta kaldığımı görünce **yeri**ni bana verdi.
He gave me **his seat** when he saw me with so much stuff in my hands.

914. isimli [adj] *named*

Büşra **isimli** uzun boylu bir kızı arıyorum.
I am looking for a tall girl **named** Büşra.

915. çok [adv] *so much*

Kardeşimin aksine ben tatlı yemeyi **çok** seviyorum.
I love eating sweet foods **so much,** contrary to my sister.

916. giren [ptcp] *entering*

Bu üniversiteye **giren** bir kişi ya çok zekidir ya da çok çalışmıştır.
Anyone **entering** this university is either smart or has worked so hard.

917. bölgede [prep] *in (this/a/the) region*

Devlet bu **bölgede** yaşayan hayvanlar için koruma kararı aldı.
The govenment decided to protect the animals living **in this region.**

918. sağlamak [v] *provide*

Devlet okulunda öğretmenlik yapmak bana birçok olanak
sağlamakta.
Being a teacher in a public school **provides** so many opportunities
to me.

919. üzerindeki [prep/postp] *on*

Masanın **üzerindeki** kitapların hepsini bu hafta bitirmek
zorundayım.
I have to finish reading all the books **on** the table this week.

920. Hasan [n] *Hasan (a male name in Turkish)*

Yeni doğan çocuklarına dedesinin adı olan **Hasan** adını verdiler.
They named their newborn child **Hasan,** which is his grandfather's
name.

921. ilan [n] *advertisement*

İlanda yeni açılacak olan AVM'nin herkese sürpriz hediyeleri olduğunu okudum.

I read that the new shopping mall has so many surprises for everyone in the **advertisement**.

922. kişilik [n] *personality*

Kişilik özellikleri uyuşmazsa hiçbir ilişki sağlıklı yürüyemez.

No relationship can work if the **personalities** don't match with each other.

923. kaynak [n] *resource*

Orta Doğu'da çok önemli doğal kaynaklar olduğu için geçmişte birçok ülke tarafından işgal altına alınmıştır.

As there are so many important natural **resources** in Middle East, it was occupied by so many countries in the past.

924. verir [v] *gives*

Öğretmenim her gün derse geldiginde bize minik hediyeler verir.

My teacher **gives** us small gifts every day when he comes to the class.

925. büyükşehir [n] *metropolis*

İstanbul, Ankara, İzmir gibi şehirler büyükşehir örnekleridir.

Cities like Istanbul, Ankara, or Izmir are examples for **metropolis**.

926. kültürel [adj] *cultural*

Kültürel geziler düzenlemek, öğrencilere her zaman faydalı olmuştur.

Arranging **cultural** travels has always been beneficial for students.

927. ülkemizde [prep] *in our country*

Ülkemizde milyonlarca genç üniversite mezunu işsiz.

Millions of young university graduates are unemployed **in our country**.

928. doğan [ptcp] *born*

Ocak ayının ilk gününde **doğan** çocuklara hediye verilecektir.

There will be presents for the children **born** on the first day of January.

929. gizli [adv] *secret*

Polis, ünlü şarkıcının evindeki hırsızlık olayını **gizli** tutmasını istedi.

A famous singer was asked to keep the robbery incident in his house **secret** by the police.

930. kapalı [adv] *closed*

Yılbaşı tatilinde birçok restoran, kafe ve market **kapalı** olacağı için önceden hazırlıklı olmalısınız.

You need to be prepared beforehand because many restaurants, cafés, and markets will be **closed** during Christmas holiday.

931. buraya [prep] *here*

Buraya gelmeden önce hakkında birçok kitap okudum ancak yine de şehir planı çok karışık geliyor.

I read so many books about it before I came **here,** but still the city plan is so complicated.

932. odası [n] [poss] *(someone's) room*

Kemal'in **odası** çok dağınık olduğundan Ayça'nın **odasına** geçelim.

Because Kemal's **room** is so untidy, let's switch to Ayça's **room**.

933. emniyet [n] *safety*

Araba içerisindeyken **emniyet** kemeri kullanmayı hiçbir zaman unutmayalım.

When we are in a car, please always remember to use a **safety** belt.

934. getirdi [v] *brought*

Sağanak kar maalesef beraberinde birçok trafik kazasını da **getirdi**.

Unfortunately, heavy snow also **brought** about many traffic accidents.

935. alır [v] *takes*

Eğer bu yoldan gidersen parka varman yarım saati **alır**.

If you go in this way it **takes** half an hour to arrive at the park.

936. olanlar [n] [pl] *happenings*

Dün gece **olanlar** için çok özür dilerim.

I am really sorry for the **happenings** from yesterday.

937. işler [n] *jobs*

Bu kadar dolu bir özgeçmiş ile istediğin bütün **işler**i alırsın sen.

You can get all the **jobs** you want with this very full CV.

938. şirket [n] *company*

15 yıldır **şirket** çalışanı olarak görev yapıyorum ama artık emekli olma vaktim geldi.

I've been working as a **company** employee for 15 years but now it's time for me to retire.

939. yayın [n] *broadcast*

Bu televizyon kanalında daha önce canlı **yayın** deneyimim hiç olmamıştı, bu yüzden çok heyecanlıyım.

I've never had an experience of a live **broadcast**; that's why I am so excited.

940. Amerikan [adj] *American*

Yarın **Amerikan** bir turist grubuna Sultanahmet Camii'nde rehberlik yapacağım.
Tomorrow I will guide an **American** tourist group in Sultan Ahmed Mosque.

941. etmektedir [v] *is doing (verb-ing)*

Geçmişte birçok şehirde yaşamış olan amcam şu anda İzmir'de ikamet **etmektedir**.
My uncle, who has lived in so many cities before, **is** now **living** in Izmir.

942. eğitimi [n][poss] *education*

Çocukların **eğitimi** bir ülkedeki her şeyden daha önemli olmalıdır.
The **education** of children should be more important than anything in a country.

943. toplumun [n] *society's*

Bazen **toplumun** beklentileri ile kişinin beklentileri örtüşmeyebilir.
Sometimes a **society's** and individual's expectations cannot match with each other.

944. hüseyin [n] *Hussein* (a male name in Turkish)

Bütün hocalarım arasından en çok matematik öğretmenim **Hüseyin** Hoca'yı seviyorum.
Among all my teachers, I love my mathematics teacher Mr. **Hussein** the most.

945. çeken [ptcp] *pulling*

Dün gece o kadar yorgunum ki üzerime battaniyeyi **çeken** kim, hatırlamıyorum bile.

Last night I was so tired that I don't even remember anyone **pulling** the blanket on me.

946. yazılı [adv] *written*

Üzerinde adımın **yazılı** olduğu defteri bana uzatır mısın?

Can you give me the notebook that my name is **written** on?

947. Kıbrıs [n] *Cyprus*

Kıbrıs Türkiye'nin güneyinde yer alan bir ada ülkesidir.

Cyprus is an island country located to the south of Turkey.

948. hedef [n] *target*

Hedefi tutturabilmek için bütün konsantrasyonunu toplamak zorundasın.

You have to be fully concentrated to reach the **target**.

949. diyen [ptcp] *saying*

Pes etme **diyen** bir arkadaşın olması insana her zaman çok yardımcı oluyor.

Having a friend **saying** "never give up" all the time helps you a lot.

950. MHP [n] *Nationalist Movement Party*

Son başkanlık seçimlerinde **MHP** halktan yüzde 20'lik bir oy aldı.

In the last presidential elections, the **Nationalist Movement Party** got 20% of the votes from the public.

951. kadınlar [n] *women*

Bazı durumlarda kadınların halini yalnızca **kadınlar** anlayabilir, bu yüzden ona biraz zaman ver.

In some situations only **women** can understand each other, that's why you must give her some time.

952. bol [adj] *abundant*

Onda para **bol**, istediği her şeyi her zaman yapabilir; önemli olan bu parayı nasıl kullandığı.

Money is **abundant** for him, so he can do anything at any time; but the important thing is how he uses it.

953. hızla [adv] *quickly*

Hızla içeriye göz attı ve kimse var mı yok mu diye kontrol etti.

He **quickly** glanced inside and checked if there was someone or not.

954. olması [n] *that he/she/it is*

Yeni yılda kız kardeşimin üniversite sınavında başarılı **olmasını** diliyorum.

For the new year I wish my sister **to be** successful in her University entrance exam.

955. anlamına [adv] *meaning*

Hocanın sınıftaki davranışları ne **anlama** geliyor anlayamadım.

I couldn't understand the **meaning** of the teacher's behaviors in the class.

956. vs. [adv] *etc.*

Marketten her zamanki şeyleri aldım: elma, muz, domates, **vs.**

I bought usual things in the grocery store: apple, banana, tomato, **etc.**

957. halk [n] *public*

Türk **halkı** her zaman yabancılara karşı misafirperver olmuştur.
The Turkish **public** has always been hospitable to foreigners.

958. hasta [n] *sick*

Dün gece **hasta** olduğum için bugünkü dağ gezisine katılamadım.
I couldn't join the mountain trip today because I was **sick** last night.

959. isim [n] *name*

Yeni doğan çocuklarına ne **isim** vereceklerine bir türlü karar veremediler.
They couldn't decide on which **name** to give to their newborn child.

960. oldukları [ptcp] [pl] *that they/these/those are*

Şu anda diğer görevlilerimiz meşgul **oldukları** için sizi kısa süreli bekletmek zorundayız.
As all our personnel **are** busy right now, we have to make you wait for a short time.

961. kısmı [n] *part of*

Projenin Büyük bir **kısmı** tamamlandığı için şu an yapacak çok bir şey kalmadı.
As the most **part of** the project is done, there are not so many things to do now.

962. yoktu [v] *was not/wasn't*

Eve geldiğimde kedim evde **yoktu**, ben de hemen dışarıyı kontrol ettim.
When I came home, my cat **wasn't** there, so I checked outside immediately.

963. yüzünden [postp] *because of*

Yağmur yüzünden yarınki piknik planı ertelenmek zorunda kaldı.
Because of the rain, tomorrow's picnic plan had to be postponed.

964. çocukların [n] [pl] *children's*

Boşanma gibi durumlarda **çocukların** fikri de mutlaka alınmalı.
In cases like divorce, **children's** opinions must always be asked.

965. devleti [n] *state of*

Amerika Birleşik **Devlet**leri birçok devletle diplomatik ilişkilerini
gözden geçirmeye karar verdi.
The United **States of** America has decided to review its diplomatic
relations with many other countries.

966. esas [adj] *real*

Sen bunları düşünmekten vazgeç, **esas** sorun kendisinden
kaynaklı.
Stop thinking about these things, the **real** problem is because of
him.

967. puan [n] *point*

Bu oyunda ne kadar **puan** toplayabildiğinin bir önemi yok, tek
önemli olan birinci olmak.
How many **points** you can collect doesn't matter in this game, the
only important thing is to be the first.

968. insan [n] *human*

İnsanı diğer canlılardan ayıran en önemli özellik üstün
zekamızdır.
The most important quality of a **human** that is different from other
creatures is our developed intelligence.

969. kurum [n] *institution*

Kurum başkanının dün geceki konuşması çok etkileyiciydi.

The speech of the **institution**'s president was very impressive.

970. insanlara [adv] *to people*

Her zaman **insanlara** kolayca bağlandığı için, sonunda hayal kırıklığına uğruyor.

As she always attaches **to people** so easily, she feels disappointed at the end.

971. yan [adj] *side*

Arkadaşımın verdiği notu gömleğimin **yan** cebine koydum.

I put the note my friend gave me in the **side** pocket of my shirt.

972. mal [n] *goods*

Bu şirketten sadece en iyi kalitede **mal** çıktığı için, onların ürünlerine her zaman güvenirim.

As this company has only the best quality **goods**, I always trust its products.

973. ihtiyacı [n] [poss] *need of*

Bu hastanın acil olarak O RH pozitif kana **ihtiyacı** var.

This patient is urgently in **need of** O positive blood intake.

974. uyuyor [v] *he/she/it sleeping*

Dün gece eve o kadar geç geldi ki hala **uyuyor**.

She came home so late last night that she is still **sleeping**.

975. doğrudan [adv] *directly*

Çok yorgun olduğum için okul çıkışında **doğrudan** eve gittim.

Because I was so tired, I went **directly** to home after school.

976. üyeleri [n] [poss] *members of*

Avrupa Birliği **üyeleri** 2019 yılı süresince 28 ülkeden oluşmaktadır.

The **members of** the European Union consist of 28 countries as of 2019.

977. bilinen [ptcp] *known*

Bir çeşit Japon mantısı olarak da **bilinen** Gyoza, orijinalde Çin mantısına benzer.

Gyoza, **known** as Japanese dumplings, are originally similar to Chinese dumplings.

978. yurt [n] *dormitory*

Üniversitenin ilk 2 yılını **yurt**ta kalarak geçirdikten sonra eve çıktım.

After I spent my first two years in the university **dormitory**, I moved to an apartment.

979. yılın [n] *of the year*

Yılın en bomba haberi, o ikisinin evlenme kararı alması oldu.

The most shocking news **of the year** was the marriage decision of those two.

980. telefon [n] *phone*

Bana İlk **telefon**umu 12 yaşımdayken doğum günümde almışlardı.

They bought me my first **phone** when I was 12 years old, on my birthday.

981. düşünce [n] *thought*

Bu üniversitede **düşünce** özgürlüğüne çok önem verilir.

In this university, the freedom of **thought** is given utmost importance.

982. geç [adv] *late*

Ödevi **geç** teslim edersen, **geç** kaldığın gün başına beş puan kıracağım.

If you submit your homework **late**, I will take five points off per day you were **late**.

983. aşk [n] *love*

Bu **aşk** uğruna çok şeyi göze aldım, ancak beklediğim karşılığı bulamadım.

I have faced so many things for the sake of this **love**, but I couldn't get the return I'd expected.

984. bağımsız [adj] *independent*

Bir tasarım stüdyosunda 5 yıl çalıştıktan sonra kariyerine **bağımsız** sanatçı olarak devam etmeye karar verdi.

After working in a design studio for 5 years, she decided to continue as an **independent** artist.

985. oyun [n] *game*

Bu **oyun**u oynamaktan artık çok sıkıldım, daha farklı oyunların yok mu?

I am so bored of playing this **game**, don't you have other games?

986. günümüzde [adv] *nowadays*

Günümüzde gençler tatil günlerini ailelerinin yanında geçirmektense yeni yerlere giderek değerlendiriyorlar.

Nowadays, young people use their holidays to try new places instead of visiting their families.

987. halen [adv] *still*

Berlin'e taşınalı 2 yıl olmasına rağmen burada yaşamaya **halen** alışamadım.

147

Although it's been 2 years since I moved to Berlin, I **still** can't get used to living here.

988. dir [suf] *be (am/is/are)*

En sevdiğim meyve kivi**dir**.
My favorite fruit **is** kiwi.

989. bilimsel [adj] *scientific*

Bu laboratuvar detaylı **bilimsel** araştırma yapmaya elverişli değil, çünkü yeterli ekipman yok.
This laboratory is not useful for performing detailed **scientific** research as there's not enough equipment.

990. ettiğini [ptcp] *doing (verb-ing)*

Yemek yapmada annesine eşlik **ettiğini** görünce çok mutlu oldum.
I was so happy to see him **accompanying** his mother with cooking.

991. -lik [suf] *-ship, -hood*

Üniversitemin birçok ülkeden üniversiteyle ortak**lık** anlaşması var.
My university has **partnerships** with other universities from different countries.

992. sert [adj] *hard*

Bu şeftali henüz olgunlaşmamış gibi görünüyor çünkü bu hali yenmeyecek kadar **sert**.
This peach seems unripe because it's too **hard** to eat like this.

993. kayıt [n] *recording*

Ünlü rock grubunun 20 yil öncesine ait konser **kayıt**ları yayınlandı.
The **recording** of the famous rock band's concert from 20 years ago has been published.

994. başkanlığı [n] *presidency of*

Polis telsizinden ABD **Başkanlığı** Konutu'nun saldırı altında olduğu rapor edildi.

The USA **Presidency** Residence has been reported to be under attack from the police radio.

995. başarı [n] *success*

Başarı emek ister; ancak istek olmazsa, emek tek başına bir işe yaramaz.

Success needs effort, but if there is no eagerness then effort alone cannot work.

996. savaş [n] *war*

İkinci Dünya **Savaşı** bir önceki dünya **savaşında** çözülemeyen problemlerden dolayı çıkmıştır.

World **War** II appeared because of the unsolved problems from the previous world **war**.

997. olmadan [adv] *without*

Üniversiteyi ailesinin yardımı **olmadan** okuduğunu öğrendiğimde ona cok saygı duydum.

I respected him so much when I heard that he was studying in university **without** the support from his family.

998. yılmaz [adj] *dauntless*

Onun eşitsizliklere karşı kolay kolay **yılmaz** bir karakteri vardır, hakkı için savaşır.

He has a **dauntless** personality against inequality, he fights for his rights.

999. takım [n] *set; team*

Doğum günü hediyesi olarak anneme pijama **takımı** aldım.

I bought a pajamas **set** for my mother as a birthday present.

1000. banka [n] *bank*

Banka bilgilerini doğru girdiğine emin misin?
Are you sure that you entered the **bank** details correctly?

1001. lütfen [interj] *please*

Lütfen kaldırımda yürürken diğer yayalara yer veriniz ve yere
çöp atmayınız.
When you walk on the sidewalk, **please** give space to other
pedestrians and don't throw away trash to the ground.

1002. biliyorum [v] *I know*

Yaklaşık on yıldır bu şehirde yaşıyorum, dolayısıyla gidilmesi
gereken yerlerin hepsini **biliyorum**.
I have been living in the city for approximately 10 years, therefore
I know all the places that should be visited.

1003. hey [interj] *hey, yo!*

Hey! Görüşmeyeli uzun zaman oldu, burada ne yapıyorsun?
Hey! It's been a long time since we talked, what are you doing
here?

1004. Bay [n] *mister*

Yayınımızı ünlü şair **Bay** Nazım Hikmet'in "Herkes Gibi" adlı
eseriyle sonlandırıyoruz.
We are ending our program with a poem named "Herkes Gibi" by
famous poet **Mister** Nazım Hikmet.

1005. tanrım [n] [poss] *my god*

Tanrım, bana yarınki iş görüşmesinde yardım et!
My God, help me for the job interview tomorrow!

1006. bilmiyorum [v] *I don't know*

Bu kadar olandan ve bana yaptıklarından sonra, onunla bir daha görüşür müyüm **bilmiyorum**.

After all these happenings and what he did to me, **I don't know** if I would still see him or not.

1007. efendim [n] *sir/madam*

İyi akşamlar **efendim**, size nasıl yardımcı olabilirim?

Good evening **sir**, how can I help you?

1008. nerede [adv] *where*

Yarınki telafi dersi **nerede** ve ne zaman yapılacak biliyor musun?

Do you know **where** and when the make-up exam will be held?

1009. teşekkürler [interj] *thanks*

Dün gece ödül töreninde beni yalnız bırakmadığınız için çok **teşekkürler**, iyi ki varsınız!

Thanks for not leaving me alone at the award ceremony last night, I'm so glad to have you!

1010. merhaba [interj] *hello*

Her sabah okula gelirken kapıdaki güvenlik görevlisine **merhaba** derim.

I say **hello** to the security guard in the entrance when I come to school every morning.

1011. işte [adv] *here you are*

Uzun bir aradan sonra **işte** buradasın!

Here you are after a long break!

1012. biliyor [v] *s/he/it knows*

Kemal Bey on yıllık bir öğretmen olarak zor bir öğrenci ile nasıl başa çıkması gerektiğini **biliyor**.

Mister Kemal **knows** how to cope with a difficult student, as a teacher for ten years.

1013. harika [adj] *wonderful*

Erkek arkadaşı, Ayşe'nin doğum günü için **harika** bir sürpriz parti hazırlamış.

Ayşe's boyfriend prepared a **wonderful** surprise party for her birthday.

1014. haydi [interj] *let's*

Haydi hep beraber akşam yemeğine Kadıköy'e gidelim!

Let's go to eat dinner all together in Kadıköy tonight!

1015. üzgünüm [interj] *I'm sorry*

Dün akşamki partide arkadaşımın agresif hareketlerinden dolayı sizi zor duruma soktuğum için **üzgünüm**.

I'm sorry for putting you in a difficult position because of the aggressive behaviors of my friend at last night's party.

1016. ol [v] *be*

Başına her ne gelirse gelsin her zaman güçlü **ol** ve bunun üstesinden gelmeye çalış.

Whatever happens to you, always **be** strong and try to and get over it.

1017. oh [interj] *ah (a sigh of relief); ha*

Oh, sonunda aylardır uğraştığım tezimi bitirip bugün teslim edebilirim!

Ah, I could finally finish and submit my thesis that I was working on for months!

1018. ver [v] *give*

Öğrenmek istediğin her şeyi sana söyledim, şimdi bana bunun karşılığını **ver** lütfen!

I told you everything you wanted to know, now please **give** me my reward in return!

1019. gel [v] *come*

Evimin kapısı sana her zaman açık, istediğin zaman **gel** ve keyfine bak.

The doors of my home are always open for you, **come** here whenever you want and enjoy your stay.

1020. bayan [n] *lady*

Yeni öğrenci kayıt işlemleri için ilk olarak girişteki resepsiyonda bulunan **bayan** ile iletişime giriniz lütfen.

Please contact with the **lady** in the reception at the entrance for the new student registration procedures.

1021. pekâlâ [interj] *all right*

Pekâlâ, bu seferlik seni affedeceğim, ama bir daha yapma lütfen.

All right, I will forgive you for this time, but please don't do it again.

1022. lanet [adj] *damn*

Bu **lanet** şirkette çalışmaktan yoruldum, istifa etmek istiyorum artık!

I am tired of working in this **damn** company, I want to quit!

1023. dur [n] *stop*

Yoldaki **dur** işaretini görmeden geçtiğim için trafik polisine yakalanıp para cezası aldım.

I was caught by the traffic cop and got a cash fine because I crossed the road without seeing the **stop** sign.

1024. git [v] *go*

Artık 20 yaşındasın; istediğin yere **git**, istediğin şeyi yap!

You are twenty now; **go** wherever you want, do whatever you want!

1025. seninle [prep] *with you*

Seninle birlikte geçirdiğim süre boyunca hiçbir zaman mutsuz hissetmedim.

I have never felt unhappy during the time I had spent **with you**.

1026. selam [n] *hello*

Bir kere bile bana **selam** vermeden güne başlamaz, her zaman hatrımı sorar.

He never starts a day without saying **hello** to me, he always asks about my well-being.

1027. dostum [poss] [n] *my friend*

Ali benim çok yakın bir **dostum**dur, her ihtiyaç duyduğumda bana yardımcı olur.

Ali is **my** dear **friend,** he helps me every time I need it.

1028. değilim [v] *I am not*

Hasta **değilim** ama çok yorgun hissediyorum, sanırım dinlenmeye ihtiyacım var.

I am not sick, but I feel so tired; I think I need to take a rest.

1029. baba [n] *father*

Baba olmak kolay bir iş değil çünkü çok fazla sorumluluk üstlenmek zorunda kalıyorsunuz.

Being a **father** is not an easy job, because you need to take so many responsibilities.

1030. yangın [n] *fire*

Yangın çabuk söndürüldüğü için ev fazla zarar görmedi.
The house did not suffer much damage because the **fire** was quickly put out.

1031. benimle [prep] *with me*

Bu akşam, dışarıya akşam yemeği yemeye gidiyorum; **benimle** gelmek istersen haber ver lütfen.
I am going out to eat dinner tonight, if you want to come **with me** please let me know.

1032. söyle [v] *tell*

Ne söylersen **söyle**, Kore'ye gitme kararımı değiştiremezsin çünkü biletimi çoktan aldım.
Tell me whatever you want, you can't change my mind about going to Korea, because I've already bought my ticket.

1033. biliyorsun [v] *you know*

Biliyorsun ki her zaman ne olursa olsun senin yanında olacağım çünkü sen benim en yakın arkadaşımsın.
As **you know,** I will always be on your side in any case, because you are my best friend.

1034. özür [n] *apology*

Bugün sınıfta öğretmen hakkında saygısızca konuştuğun için ona bir **özür** borçlusun.
As you talked disrespectfully about the teacher in today's class, you owe her an **apology**.

1035. al [v] *buy*

Bu akşam yemekten sonra tiramisu yapmayı planlıyorum, eve gelirken un ve şeker **al** lütfen.

155

Tonight, I am planning to make tiramisu after dinner, please **buy** flour and sugar when you come home.

1036. şunu [adv] *this*

Şunu da bitirdikten sonra başka işim kalmayacak, dışarı çıkabiliriz!
After I finish **this**, I won't have anything else to do, we can go out!

1037. istiyorsun [v] *you want*

Senin için her şeyi yaptım, benden daha başka ne **istiyorsun**?
I did everything I could for you, what else do **you want** from me?

1038. yapıyorsun [v] *you're doing*

Yarın akşam ne **yapıyorsun**?
What are **you doing** tomorrow?

1039. onunla [adv] *with him/her/it*

Onunla uzun süredir birlikte olduğum için karakterini çok iyi biliyorum.
As I've been **with him** for a long time, I know his character so well.

1040. emin [adj] *sure*

Bu kadar çikolatanın kek için yeterli olacağından **emin** değilim de, biraz daha satın alır mısın?
I am not **sure** if this much chocolate is enough for the cake, can you buy some more?

1041. bakalım [interj] *let's see*

Bakalım ailesi olmadan başka bir şehirde yaşayabilecek mi.
Let's see if he can live in another city without his family.

1042. miyim [interr] *do I/can I*

Sana bir soru sorabilir **miyim**?
Can I ask you a question?

1043. bekle [v] *wait*

Okuldan sonra beni tren istasyonunun önünde **bekle**, arabayla seni almaya geleceğim.
Wait for me in front of the station after school, I will come there to pick you up by car.

1044. buradan [adv] *from here*

Sizce yürüyerek **buradan** Armada AVM'ye kaç dakikada varırım?
How many minutes do you think it takes **from here** to Armada Mall if I walk?

1045. gidelim [v] *(we) go/let's go*

Haydi alışveriş merkezine kıyafet almaya **gidelim**, bu hafta birçok mağazada indirim var.
Let's go to the shopping mall to buy some clothes, so many stores have discounts this week.

1046. eve [adv] *to home*

İşyerimden **eve** kadar otobüsle gitmek 50 dakika sürüyor, bu yüzden daha yakınlarda çalışabileceğim bir iş arıyorum.
It takes 50 minutes from my workplace **to home**, that's why I am looking for a job somewhere closer.

1047. bırak [v] *leave*

Sen bu işi kabataslak bitir, geri kalanını bana **bırak**.
Finish the overall work, then **leave** the rest to me.

1048. burası [adv] *here*

Burası güvenli bir yer değil, daha gizli bir yerde konuşalım.
Here is not a safe place, let's talk somewhere private.

1049. nereye [adv] *where*

Yaz tatilinde **nereye** gitmek istiyorsun?
Where do you want to go for the summer holiday?

1050. olmalı [v] *should be*

Bu işin içinden çıkmanın bir çözüm yolu **olmalı**, ama bulamıyorum.
There **should be** a solution to get away from this situation, but I can't find it.

1051. dinle [v] *listen*

Beni **dinle** lütfen, bu konuda tecrübeli olduğum için sana yardım etmek istiyorum.
Please **listen** to me, I want to help you because I am experienced in this topic.

1052. istemiyorum [v] *I don't want*

Yarınki buluşmaya gelmek **istemiyorum** çünkü yapmam gereken bir sürü şey var.
I don't want to come to the meeting tomorrow, because I have lots of things to do.

1053. dilerim [v] *I wish*

Yeni yılda sana sağlık ve başarı **dilerim**.
I wish you health and success for the new year.

1054. benden [adv] *from me*

Benden ne istersen yaparım çünkü sana değer veriyorum.
I can do anything you want **from me**, because I value you.

1055. aman [interj] *oh!*

Aman Allah'ım, sana ne oldu böyle? Ne kadar da değişmissin!
Oh my God, what happened to you? You've changed a lot!

1056. bir şey [n] *something*

Bu konu hakkında **bir şey** biliyorsan bana da açıklar mısın?
If you know **something** about this, can you also explain it to me?

1057. istiyor [v] *(someone) wants*

Annem üniversiteyi yurt dışında okumamı **istiyor** ama babam istemiyor.
My mom **wants** me to study abroad but not my father.

1058. tatlım [interj] *sweetheart*

Erkek arkadaşım bana hep "**tatlım**" diye seslenir.
My boyfriend always calls me "**sweetheart**".

1059. seviyorum [v] *I like*

Matematiği **seviyorum** ama çok zor olduğu zamanlarda sıkılıyorum ve motivasyonum düşüyor.
I like mathematics, but sometimes when it becomes too complicated, I feel bored and lose my motivation.

1060. iki [num] *two*

Bu apartmanda **iki** yıldır yaşıyorum ama komşularımdan hiçbiri ile tanışmadım.
I have been living in this apartment for **two** years, yet still I haven't met with any of my neighbors.

1061. misiniz [interr] *do you/can you*

Bana yardım edebilir **misiniz** lütfen?
Can you help me please?

Buraya sık gelir **misiniz?**
Do you come here often?

1062. yapma [v] *don't*

Bu akşam için yemek **yapma**, yeni açılan restoranda iki kişilik rezervasyon yaptım.
Don't cook for dinner tonight, I've made a reservation for two people in the newly opened restaurant.

1063. oraya [adv] *there*

Oraya vaktinde ulaşmam için taksi çağırmam gerek, aksi taktirde uçağa yetişmem mümkün değil.
I need to call a taxi to get **there** on time, otherwise it's impossible to catch the plane.

1064. senden [adv] *from you*

Senin için sorun olmazsa, **senden** bir iyilik isteyebilir miyim?
Can I ask a favor **from you**, if it's all right with you?

1065. hoş [adj] *nice*

Mutfaktan **hoş** bir koku geliyor, sanırım biri kek yaptı.
There is a **nice** smell coming from the kitchen, I guess someone has made a cake.

1066. yarın [adv] *tomorrow*

Ödevin teslim tarihinin **yarın** olduğunu bugün öğrendim, bu yüzden gece yarısına kadar bitirip göndermem gerek.
I've just learned that the deadline for the assignment is **tomorrow**, that's why I have to finish and submit it by midnight.

1067. gidip [ptcp] *by going*

Son zamanlarda sürekli başım ağrıyor da, hastaneye **gidip** neden olduğunu öğrenmek istiyorum.

I have a chronic headache lately, so I want to learn the reason **by going** to the hospital.

1068. edin [aux] *do/perform* (auxilary verb used with nouns)

Polisler gaz bombası atıyor, yaralılara **yardım edin**!

The cops are throwing gas bombs, **help** the injured!

1069. doktor [n] *doctor*

Küçüklüğümde hep **doktor** olmak istiyordum, ancak büyüyünce fikrimi değiştirdim ve mimar oldum.

I had always wanted to be a **doctor** when I was a child, but I changed my mind when I grew up and became an architect.

1070. bakın [v] *look*

Şu fotoğrafa bir **bakın**! Fotoğraftaki adam, hocamıza ne kadar da benziyor!

Look at this photo! The man in the photo looks so much like our teacher!

1071. dışarı [adv] *out*

Tam iki haftadır **dışarı** çıkmıyorum, sıkıntıdan patlamak üzereyim artık.

It's been two weeks since I didn't go **out**, now I am just about to die of boredom.

1072. niye [adv] [inter] *why*

Bugün tatil olmasına rağmen **niye** erken uyandın?

Why did you wake up early, even though today is a holiday?

1073. gördüm [v] [pron] *I saw*

Dün alışveriş merkezinde ilkokul arkadaşımı **gördüm**, ama o beni görmediği için konuşamadık.

Yesterday, **I saw** my friend from elementary school, but we couldn't talk because she didn't see me.

1074. kahretsin [interj] *damn it*

Kahretsin! Yine otobüsü kaçırdım, şimdi otuz dakika beklemem gerek.

Damn it! I've missed the bus again, now I have to wait for thirty minutes.

1075. ihtiyacım [n] [poss] *my need*

Paraya olan **ihtiyacım** sosyal hayatımda ciddi problemlere sebep oluyor.

My need for money causes serious problems in my social life.

1076. biri [n] *someone*

Perdeleri asmak için **biri**ne ihtiyacım var ama evde kimse yok.

I need **someone** to hang the curtains, but there is nobody in the house.

1077. eminim [adv] *I am sure*

Eminim ki istersen üniversite sınavında çok başarılı olabilirsin, yeter ki kendine inan!

I am sure you can be very successful in the university exam, as long as you believe in yourself!

1078. sakin [adj] *quiet*

Bugün hafta içi olduğu için sokaklar **sakin**, sen bir de hafta sonları gör buraları.

The streets are **quiet** because today is a weekday, you should see here on the weekend.

1079. nereden [adv] *from*

Üzerindeki elbiseyi **nereden** aldı merak ediyorum, ben de almak istiyorum da.

I wonder where she bought that dress **from**, as I also want to buy it.

1080. falan [n] *or so*

Mutfakta hiçbir şey yok; yemek pişirmek için pirinç, sebze **falan** almam gerek.

There is nothing in the kitchen; I need to buy some rice, vegetables **or so** to cook.

1081. gidiyor [v] *is going*

Görüşmeyeli her şey nasıl **gidiyor**? Okula gidiyor musun?

How **is** everything **going** lately? Are you going to school?

1082. musunuz [interr] *are you*

Bu akşam partiye geliyor **musunuz**?

Are you coming to the party tonight?

1083. yolculuk [n] *trip*

Ailem bir **yolculuğ**a çıktı ve ben evde yalnızım.

My parents are away on a **trip** and I'm alone in our house.

1084. yalan [n] *lie*

İnternette hakkımda çıkan haberlerin hepsi **yalan**, inanmayın lütfen.

All the news about me on the internet are **lies**, please don't believe them.

1085. gitti [v] *went*

Annem az önce markete **gitti**, yarım saat sonra geldiğinde size haber veririm.

My mom **went** to the supermarket just a moment ago, I will tell you when she comes back after half an hour.

1086. değildi [adv] *wasn't/weren't*

Üniversiteye başladığında okuduğu bölümden memnun **değildi**, ancak ilerleyen yıllarda bölümünü sevmeye başladı.

When she started her university, she **wasn't** satisfied with her department, but in the following years she started to like it.

1087. görüşürüz [interj] *see you*

Gelecek haftadaki dersimizde **görüşürüz**!

See you in our next week's class!

1088. çabuk [adv] *fast*

Doğrusu, bu kadar **çabuk** hazırlanacağını tahmin edemezdim.

I couldn't guess that he would be prepared this **fast**, in fact.

1089. babam [n] [poss] *my father*

Babam her zaman, insanlara karşı sabırlı olursam onlarla daha iyi anlaşabileceğimi söyler.

My father always tells me if I am patient with people, I can get along with them more easily.

1090. nefret [n] *hate*

Nefret duygusu çok güçlüdür, kişiye ciddi zarar verebilir.

The feeling of **hate** is so strong, it can harm someone seriously.

1091. gördün [v] *you saw*

Dün gece televizyondaki haberi sen de **gördün**, değil mi?

You also **saw** the news on the TV last night, didn't you?

1092. umarım [adv] *I hope*

Umarım yarınki gösteride de provada yaptığım hataları tekrarlamam.

I hope I won't repeat the mistakes I did on the rehearsal for tomorrow's show.

1093. sence [adv] *do you think*

Sence dışarı çıkarken ceket almalı mıyım, yoksa hava sıcak mı olur?

Do you think I should take a jacket with me when going out, or is the weather warm outside?

1094. öldü [v] *died*

Kardeşim yaklaşık bir haftadır ağlıyor çünkü kedimize araba çarptı ve **öldü**.

My sister has been crying for about one week because our cat was hit by a car and he **died**.

1095. değilsin [adv] *you're not*

Henüz bara gitmek için yeterince büyük **değilsin**, 18 yaşını beklemen gerek.

You're not old enough to go to a bar now, you have to wait until you're 18.

1096. ateş [n] *fire*

Kamp **ateşi** etrafında oturup şarkı söylemek istiyorum.

I want to sing a song while sitting around the **fire**.

1097. yıllardır [adv] *for years*

Yıllardır aynı işi yapıyor ve herkes onu tanıyor.

He has been doing the same job **for years** and everyone knows him.

1098. yaptım [v] *I made/I did*

Bugünkü sınavda çok büyük bir hata **yaptım**.

I made a big mistake in today's exam.

1099. tanrı [n] *God*

Tanrı kavramı yüzyıllar boyunca filozoflar ve bilim insanları tarafindan tartışılmıştır.

The concept of **God** has been discussed by philosophers and scientists for centuries.

1100. kes [v] *cut*

Soğanları ince ince **kes** ve tavada kızart lütfen.

Please **cut** the onions finely and fry in the pan.

1101. Alper [n] *Alper* (masculine name)

Alper yeni bilgisayar almak için Efsane Cuma'yı bekliyor.

Alper is waiting for Black Friday to buy a new computer.

1102. yap [v] *make*

Ödevini dikkatli **yap** ki öğretmenin yüksek not verebilsin.

Do your homework carefully so that your teacher can give you a high grade.

1103. olduğumu [ptcp] *that I am/was*

Gizli ajan **olduğumu** onlara söylemedim.

I didn't tell them **that I am** a secret agent.

1104. kendimi [pron] *myself*

Cuma günü projemi teslim ettikten sonra **kendimi** şımartmak için alışverişe gittim.

On Friday, after I submitted my project, I went shopping to treat **myself**.

1105. aptal [adj] *stupid*

İyi bir üniversitede okumuyor olması, **aptal** olduğu anlamına gelmez.

Just because he is not studying in a good university, it doesn't mean that he is **stupid**.

1106. istediğim [ptcp] *that I want*

Keşke **istediğim** her şeye sahip olabilseydim.
I wish I could have everything **that I want**.

1107. hâlâ [adv] *still*

AVM'lerde birçok şey alıp para harcamasına rağmen **hâlâ**
gezmeye yetecek kadar parası var.
Although he spends money by buying lots of things, he **still** has
enough money to go out.

1108. yeter [v] *enough*

Bu kadar oyalanmak **yeter**, artık herkes işinin başına dönsün!
It's **enough** of wasting time, now everyone should go back to their
work!

1109. yaptın [v] *you did*

Bu kadar süre boyunca oyun oynamaktan başka ne **yaptın**,
söyleyebilir misin?
Can you tell me what else **you did** other than playing games for all
this time?

1110. pekâlâ [interj] *okay*

Pekâlâ, bu seferlik senin istedigin gibi olsun.
Okay, let's do it as you want for this time.

1111. kal [v] *stay*

Artık yirmi yaşındasın, istersen gece boyunca dışarıda **kal**;
istediğini yapmakta özgürsün.
You are twenty years old now, **stay** out the whole night if you
want; you're free to do what you want.

1112. olamaz [v] *can't be*

Bu haber gerçek **olamaz**, çünkü benim tanıdığım Hasan öyle bir insan değil.

This news **can't be** true, because the Hasan I know is not a person like that.

1113. adamım [poss] [n] [interj] *my man*

Seninle takılmak gerçekten çok eğlenceli, **adamım!**

Hanging out with you is really so fun, **my man!**

1114. bitti [v] *finished*

Buradaki işim **bitti**, artık eve dönme vaktim geldi.

My job here is **finished**, now it's time to go back home.

1115. ettim [aux] *I did* (auxilary verb used with nouns)

Onun teklifini **kabul ettim**.

I **accepted** his offer.

1116. söyledim [v] *I said*

Bu kadar çok çalışırsa hayattaki başka fırsatları kaçıracağını ona **söyledim**.

I said to him that if he works so hard, he could miss the other chances in his life.

1117. neyse [adv] *anyway*

Neyse artık, geçmişte olan geçmişte kalsın.

Anyway, what happened in the past should remain in the past.

1118. adamı [n] *the man*

Şirketin halkla ilişkiler bölümüne atanan **adamı** tanıyor musun?

Do you know the **man** who was assigned to the public relations department of the company?

168

1119. ilk [adj] *first*

Bebeğin **ilk** adımlarını gören annesi, heyecanla eşini ve çocuklarını çağırıp onlara bebeği izlemelerini söyledi.

As the mother saw her baby's **first** steps, she called her husband and kids and told them to watch the baby.

1120. Doruk [n] *Doruk* (masculine name)

Doruk dün gece arkadaşlarıyla bara gitti.

Doruk went to the bar with his friends last night.

1121. aldım [v] *I took*

Bu yemeği yapabilmek için mükemmel kalitede peynir gerekli, bu yüzden de Fransız arkadaşımdan biraz peynir **aldim**.

In order to cook this meal, there should be a perfect quality cheese; that's why I **took** some cheese from my French friend.

1122. annem [n] [poss] *my mom*

Üniversiteye yeni başladığım zaman **annem** her gün beni arar, iyi olup olmadığımı sorardı.

When I started university, **my mom** would call me every day and ask me if I was okay or not.

1123. konuşmak [v] *to talk*

Benimle akşam yemeği yemek ister misin? Seninle **konuşmak** istediğim önemli bir konu var da.

Do you want to eat dinner with me tonight? There is something important that I want **to talk** to you about.

1124. buldum [v] *I found*

İki gün önce işyerimin etrafındaki sokaklarda dolaşırken çok iyi bir kafe **buldum**.

Two days ago, when I was walking in the streets around my workplace, **I found** a really good café.

1125. zaman [n] *time*

Havalar gittikçe soğumaya başlıyor, bu yüzden de şimdi ceket almanın tam **zamanı**.

The weather is getting cold day by day, so now it's **time** to buy a winter jacket.

1126. saniye [adv] *second*

Haşlanan sebzeleri yaklaşık otuz **saniye** kadar suda beklettikten sonra tavaya ekleyiniz.

After you pour water over the boiled vegetables for about thirty **seconds**, add them to the pan.

1127. gitmek [v] *to go*

Bugün çok yorgunum ve dinlenmeye ihtiyacım var, bu yüzden de yarın okula **gitmek** istemiyorum.

Today, I am so tired and I need to rest, that's why I don't want **to go** to school tomorrow.

1128. mükemmel [adv] *perfect*

En son yaptığın çikolatalı pasta **mükemmel** olmuştu, tarifini verir misin?

The chocolate cake that you made last time was **perfect**, can you give me the recipe?

1129. öyleyse [adv] *then*

Öyleyse yapacak bir şey yok, eve bir gece erken dönelim.

Then, there is nothing to do; let's go back home one night earlier.

1130. aç [adj] *hungry*

Sabah kahvaltı yapmadan dışarı çıktığım için şu an çok **açım**, hemen bir şeyler yemem lazım.

As I went out without eating breakfast, now I am so **hungry**; I need to get something immediately.

1131. içeri [adv] *inside*

İçeri girmek için 50 TL ödemeniz gerekiyor, yoksa sizi kabul edemeyiz.

You need to pay 50 Turkish liras to go **inside**, or else we can't accept you.

1132. görünüyor [v] *looks*

Menüdeki tatlıların hepsi lezzetli **görünüyor**, hangisini sipariş etsem bilemedim.

Every dessert in the menu **looks** delicious, I don't know which one to order.

1133. olun [v] *be*

Evlilik yıl dönümünüz kutlu olsun, birlikte ve mutlu **olun** hep.

I wish you happy wedding anniversary, always **be** happy and together.

1134. bilirsin [v] *you know*

Beni **bilirsin**, beğenmediğim bir şey olduğu zaman bunu direk söylerim.

You know me, when I see something I don't like, I say it directly.

1135. oldum [v] *I become*

Bugün tam olarak on sekiz **oldum**, artık bir yetişkin sayılırım.

Today **I become** eighteen, now I am almost an adult.

1136. bebeğim [n] [poss] *my baby*

Bebeğim için en iyisi ne ise her zaman onu alırım.

I always buy what is the best for **my baby**.

1137. sanmıyorum [v] *I don't think*

Doğum gününde ona çanta alabilirsin, fazla pahalı olacağını **sanmıyorum**.

You can buy her a bag for her birthday, **I don't think** it's going to be so expensive.

1138. anlıyorum [v] *I understand*

Ne demek istediğini **anlıyorum** ancak benim de yapabileceğim bir şey yok.

I understand what you mean, but there is nothing I can do.

1139. düşünüyorsun [v] *you think*

Yarınki parti için giyeceğim elbise hakkında ne **düşünüyorsun**?

What do **you think** about the dress I will wear in tomorrow's party?

1140. geldim [v] *I came*

Bu okula, daha iyi bir eğitim almak ve İngilizcemi geliştirmek için **geldim**.

I came to this school to get a good education and improve my English.

1141. araba [n] *car*

Otuz beş yaşında olmasına rağmen halen **araba** kullanmayı bilmiyor.

He doesn't know how to drive a **car** even though he is thirty-five.

1142. söylemek [v] *to tell*

Sana **söylemek** istediğim şeyler var da, beş dakikalığına buraya gelir misin?

I have things that I want **to tell** you, so can you come over here for five minutes?

1143. adamın [n] *the man's*

Adamın sözlerine göre kaza gece 12 sularında marketin önünde gerçekleşmiş.

According to **the man's** words, the accident happened around 12 at night in front of the station.

1144. evde [n] [prep] *at home*

Bütün gün **evde** hiçbir şey yapmadan oturdun, dışarı çıkmak istemiyor musun?

You've sat **at home** doing nothing all day, don't you want to go out?

1145. dersin [n] *of the lesson*

Dersin ortasında birden telefonum çalınca ne yapacağımı bilemedim.

I didn't know what to do when my phone rang in the middle **of the lesson**.

1146. miyiz [interr] *can we*

Bu oyun çok eğlenceli, sizinle oynayabilir **miyiz**?

This game is so much fun, **can we** play with you?

1147. galiba [adv] *probably*

Yarın **galiba** anneannemi görmeye memleketime gideceğim, çünkü onun hasta olduğunu duydum.

Tomorrow **probably** I will go to my hometown to see my grandmother, because I heard she was sick.

1148. istedim [v] *I wanted*

Beraber kafeye gittik çünkü onunla bir konu hakkında görüşmek **istedim**.

We went to a café together because **I wanted** to talk with him about something.

1149. ameliyat [n] *surgery*

Ameliyattan çıktıktan sonra doktora sorduğu ilk şey neydi?
What was the first thing he asked the doctor after he came out of
the **surgery**?

1150. komik [adj] *funny*

Komik bir şaka yaptım ama kimse anlayamadığı için, gülen olmadı.
I made a **funny** joke, but no one laughed at it because they
couldn't understand.

1151. düşündüm [v] *I thought*

Bütün gece boyunca, bana ne demek istediğini **düşündüm**.
I thought about what you wanted me to say the whole night.

1152. söylüyor [v] *says*

Gelecek yıl daha çok çalışacağını sürekli **söylüyor** ama çalışacağını
sanmıyorum.
He always **says** he is going to study harder next year, but I don't
think so.

1153. oğlum [n] [poss] *my son*

Oğlum bu sene evleniyor, bu yüzden hepimiz çok heyecanlıyız.
My son is marrying this year, that's why all of us are so excited.

1154. duydum [v] *I heard*

Geçen hafta yapılan sınavdan kimsenin A alamadığını **duydum**.
I heard that no one could get the A grade from last week's exam.

1155. evlat [n] *child*

Henüz iki yıllık evliyiz, **evlat** sahibi olmak için çok erken
olduğunu düşünüyoruz.
We're married for only two years, we think it's too early to have a
child.

1156. çocuğu [n] *the kid*

Ahmet **çocuğu** parka götürdü ve onu mahalledeki diğer çocuklarla tanıştırdı.

Ahmet took **the kid** to the park and introduced him to other children in the neighborhood.

1157. silah [n] *gun*

Daha önce hayatımda hiç **silah** kullanmadım, kullanmak da istemiyorum.

I've never used a **gun** in my life, and I don't want to use it.

1158. hepimiz [pron] *all of us*

Sınav tarihinin gelecek haftaya ertelenmesi konusunda **hepimiz** hemfikiriz.

All of us agree on the postponing of the exam to next week.

1159. şuna [adv] *at that*

Şuna bir bakın! Yavru kedi, annesiyle oyun oynuyor.

Look **at that**! A kitty is playing with its mother.

1160. çalışıyorum [v] *I am working*

Cumartesi günleri **çalışıyorum**, pazar günü buluşsak olur mu?

I am working on Saturdays, is it OK if we meet on Sunday?

1161. herif [n] *guy*

Şu **herif** iki saattir bana bakıp duruyor, çok rahatsız edici.

This **guy** keeps looking at me for two hours, it's so annoying.

1162. vay [interj] *wow*

Vay be, seni burada göreceğim hiç aklıma gelmezdi!

Wow, I never expected to see you here!

1163. hayatım [n] [poss] *my life*

Hayatım boyunca hiçbir zaman marka bir kıyafetim olmadı.
I've never had a brand-name dress in **my life**.

1164. gidiyorum [v] *I am going*

Gelecek sene Almanya'ya yüksek lisans yapmaya **gidiyorum**.
Next year **I am going** to Germany to do a master's degree.

1165. canavar [n] *monster*

Canavarlar tarih boyunca birçok antik efsanede ayrıntılı olarak tasvir edilmiştir.
Monsters are depicted in detail in many ancient legends throughout history.

1166. korku [n] *fear*

Korku gölge gibidir, karanlıkla yüzleştiğin zaman kaybolur.
Fear is like a shadow, when you face the darkness it's gone.

1167. garip [adj] *weird*

Son zamanlarda davranışları çok **garip**; bir sıkıntısı olmalı, ama nedir bilmiyorum.
Lately his behaviors are so **weird**; he must have a problem, but I don't know what it is.

1168. hayatta [adv] *never*

Yurt dışında yaşamasına **hayatta** izin vermem, önce başka bir şehirde tek başına yaşamayı öğrenmeli.
I **never** allowed him to live abroad; first, he should learn how to live by himself in another city.

1169. olacağım [v] *I will*

Tıp fakültesini bitirdikten sonra pratisyen hekim **olacağım**.
I will be a practicing physician after I finish the medical faculty.

176

1170. kimin [pron] *whose*

Masanın üzerindeki atkı **kimin** bilmiyorum ama orada bir haftadır duruyor.

I don't know **whose** scarf is on the table, but it's been there for a week.

1171. bebek [n] *baby*

Uçakta yolculardan birinin **bebeği** yol boyunca ağladığı için uyuyamadım.

I couldn't sleep in the plane because the **baby** of one of the passengers was crying all the way.

1172. alo [interj] *hello*

Alo, beni duyuyor musunuz?

Hello, can you hear me?

1173. hayal [n] *dream*

Küçüklük **hayal**im üç katlı bir evde yaşayıp kedi ve köpek beslemekti hep.

My childhood **dream** was always living in a triplex house with cats and dogs.

1174. yaptığını [ptcp] *that you did/that you have done*

Bunu senin **yaptığını** bilmiyordum.

I didn't know **that you did** that.

1175. gidiyoruz [v] *we're going*

Haftaya Uludağ'a kayak yapmaya **gidiyoruz,** bizimle gelmek ister misin?

Next week, **we're going** to Uludağ for skiing, do you want to come with us?

1176. çalışıyor [v] *s/he/it is working*

Arkadaşım üniversitede okurken aynı zamanda yarı zamanlı olarak bir kafede **çalışıyor**.

My friend **is working** part time in a café while studying in the university at the same time.

1177. kapıyı [n] *the door*

Kapıyı açık bırakma lütfen, içeriye sivrisinek giriyor.

Please don't leave **the door** open, mosquitoes come inside.

1178. gelip [ptcp] *by coming*

İkide bir yanıma **gelip** beni rahatsız etmekten vazgeçecek misin?

Will you stop bothering me **by coming** to my side all the time?

1179. yeni [adj] *new*

Artık **yeni** bir eve taşınmanın zamanı geldi, bu ev bizim için fazla küçük.

Now, it's time to move to a **new** house, this one is too small for us.

1180. muhtemelen [adv] *probably*

Bu akşam **muhtemelen** yağmur yağacak, dışarı çıkarken şemsiyeni yanına alsan iyi olur.

Tonight **probably** it will rain, you had better take your umbrella with you when you're going out.

1181. nasılsın [interr] *how are you?*

Görüşmeyeli uzun zaman oldu, **nasılsın**?

It's been a long time since we saw each other, **how are you**?

1182. çenen [n] [poss] *your chin*

Çeneni neden beğenmiyorsun anlamıyorum, yüzünle gayet orantılı duruyor.

I don't understand why you don't like **your chin**; it fits very well in your face.

1183. sürü [n] *herd*

Sürüdeki koyunlardan iki tanesi hamileydi ama dün gece doğurmuşlar.

Two of the sheep in the **herd** were pregnant, but they gave birth last night.

1184. yeterince [adj] *enough*

Bugün **yeterince** tatlı yedim, daha fazla yememem gerek.

I ate **enough** sweets today, I shouldn't eat any more.

1185. evlilik [n] *marriage*

Çocukken, annemle babamın mükemmel bir **evlilik** yaptığını düşünürdüm.

I used to think that my parents had the perfect **marriage** when I was kid.

1186. şaka [n] *joke*

Öğretmenin yaptığı **şaka** hiç komik değildi, ama tüm sınıf gülüyormuş gibi yaptı.

The **joke** that the teacher made was not funny, but the whole class pretended to laugh.

1187. dönerim [v] *I will be back*

Burada bekle, ben birkaç saat içinde **dönerim**.

Just wait here, **I will be back** in a few hours.

1188. haklısın [~] *you're right*

Sen de **haklısın**, ama bir de onun bakış açısından düşünmeyi dene.

You're also **right** but try to think about his point of view.

1189. arkadaşım [n] [poss] *my friend*

En iyi **arkadaşım** yarın evleniyor, bu yüzden o gece çok şık olmak istiyorum.

My best **friend** is marrying tomorrow, that's why I want to be chic for that night.

1190. acele [n] *hurry*

İşlerini **acele** halinde yaparsan, işin sonunda pek başarılı bir sonuç elde edemezsin.

If you do your job in a **hurry**, at the end you can't get a good result.

1191. durun [v] *stop*

Trafikteyken kırmızı ışıkta her zaman **durun** lütfen.

When you are on the road, please **stop** every time there is a red light.

1192. anladım [v] *I understood*

Matematik öğretmenimin sınıfta çözdüğü soruyu geç de olsa **anladım**.

Even though it was late, **I understood** the solution of the problem that my mathematics teacher solved in the class.

1193. beyler [n] [pl] *guys*

Beyler, sizi müstakbel nişanlım Aylin ile tanıştırayım.

Guys, let me introduce you my dear fiancé Aylin.

1194. verin [v] *give*

Bu proje çok fazla iş gerekiyor, bitirmem için bana biraz zaman **verin** lütfen.

This project needs a lot of work, please **give** me some time to finish it.

1195. yolunda [adv] *going well*

Ben tam her şey **yolunda** gidiyor derken, yeni bir sorun patlak verdi.

As I was just saying everything was **going well,** another problem burst out.

1196. şeyleri [n] [pl] *the things*

Bazı **şeyleri** görmezden gelmem, önceki yaptıklarını affettiğim anlamına gelmez.

Just because I ignore some **things,** it doesn't mean that I forgive you for what you did before.

1197. iyiyim [interj] *I'm fine*

Dün gece sadece iki saat uyumama rağmen şu an **iyiyim,** sadece biraz yorgun hissediyorum.

Although I slept only two hours this night, **I'm fine;** I just feel a bit tired.

1198. baban [n] *your father*

Normalde seni okuldan **baban** mı alıyor, yoksa eve kendin mi gidiyorsun?

Does **your father** get you from school usually, or do you go back home by yourself?

1199. bilmek [v] *to know*

Bütün gece dışarıda ne yaptığını bilmiyorum, **bilmek** de istemiyorum.

I don't know what he did out all night, and I don't want **to know.**

1200. birinin [n] *somebody's*

Birinin cüzdanı kafedeki masanın üzerinde kalmış, birisi almadan görevlilere teslim edelim.

181

Somebody's wallet was left on the table in the café, let's give it to the staff before someone takes it.

1201. hepsi [adv] *all of*

Buzdolabındaki çikolatalı kekin **hepsi**ni sen mi yedin?
Did you eat **all of** the chocolate cake in the fridge by yourself?

1202. dans [n] *dance*

Sekiz yaşımdan beri **dans** okuluna gidiyorum, çünkü dans etmek beni mutlu ediyor.
I have been going to a **dance** school since I was eight years old, because dancing makes me happy.

1203. kardeşim [n] *my sister/brother*

Kardeşim asla acılı yemek yiyemez, ama ben yemeyi çok severim.
My brother can never eat spicy food, but I really like it.

1204. geldin [v] *you came*

Bugünkü partime iyi ki **geldin**, sen olmasaydın çok sıkıcı olurdu.
I'm glad that **you came** to my party today, without you it would be so boring.

1205. kapa [v] *shut*

Evden çıkarken pencereleri **kapa** lütfen, içeriye hırsız girer yoksa.
Please **shut** the windows before going out of the house, or else a thief could come in.

1206. gidiyorsun [v] *you're going*

Yarın memleketine **gidiyorsun** demek, bu akşam beraber yemek yiyelim o zaman.
So **you're going** to your hometown tomorrow; let's eat dinner together, then.

1207. günaydın [interj] *good morning*

Herkese **günaydın**! Bugünkü yayınımızda küresel ısınma ile ilgili konuşacağız.

Good morning everyone! In today's broadcast, we are going to talk about global warming.

1208. yapacağım [v] *I will do*

Son zamanlarda çok sağlıksız besleniyorum, yarından itibaren spor **yapacağım**.

I have been eating unhealthy lately, from tomorrow, **I will do** exercise.

1209. verdim [v] *I gave*

Bugün hayatımda ilk defa bir sınıfta İngilizce dersi **verdim**.

Today, **I gave** an English lesson to a class for the first time in my life.

1210. memnun [adj] *content*

Doğum günü için gittiğimiz restorandaki yemeklerden pek **memnun** değildi.

She wasn't **content** with the food in the restaurant where we went for her birthday.

1211. kızı [n] *the daughter*

Karşı komşunun **kızı** çok iyi bir üniversiteyi kazanmış.

The **daughter** of the opposite neighbor was accepted in a very good university.

1212. olmayacak [v] *won't happen*

Patrondan gelen mesaja göre yarın işyerinde toplantı **olmayacak**.

According to the message from the boss, there **won't be** a meeting in the workplace tomorrow.

1213. geceler [n] [pl] *nights*

Kışın **geceler** daha uzun olduğu için günler hızlı geçiyor gibi hissediyorum.

During winter, I feel like the days pass quickly because the **nights** are longer.

1214. veriyorum [v] *I give*

On beş yıldır öğretmenlik yapıyorum ve matematik ve fen alanında özel ders **veriyorum**.

I've been working as a teacher for fifteen years and I **give** private lessons of mathematics and science.

1215. yapamam [v] *I can't*

Yemek yapmayı çok sevsem de, tek başıma tiramisu **yapamam**.

Although I really love cooking, **I can't** make tiramisu by myself.

1216. çalışıyoruz [v] *we are/have been working*

10 yıldan uzun bir zamandır aynı fabrikada **çalışıyoruz**.

We have been working in the same factory for over 10 years.

1217. sanıyorsun [v] *you think*

Hey sen! Orada ne yaptığını **sanıyorsun** öyle?

Hey you! What do **you think** you're doing over there?

1218. terk [n] *leave/abandon*

Nükleer saldırı alarmından sonra adada yaşayanların hemen orayı **terk** etmesi gerektiği söylendi.

After the nuclear attack alarm, the residents of the island were told to **leave** there immediately.

1219. neyi [adv] *what*

Yarınki toplantıya gitmek istemiyorum derken **neyi** kastediyorsun?

What do you mean by saying you don't want to go to the meeting tomorrow?

1220. sanıyordum [v] *I thought*

Madrid'den gönderdiğim kargonun bu hafta içinde ulaşacağını **sanıyordum**.

I thought the cargo I sent would arrive within this week.

1221. sevindim [v] *I'm happy/glad*

Üzerinde aylardır çalıştığın tezinin bir dergide yayınlanacağını duyduğuma çok **sevindim**.

I'm so **happy** to hear that the thesis you've been working on for months will be published in a journal.

1222. kere [postp] *times*

Yumurtaları çırpıp un ve sütü ekledikten sonra sonra karışımı tavaya ekleyip iki **kere** döndürerek pişirin.

After you scramble the eggs and add the flour and milk, put the mix in the pan and cook it by spinning it two **times**.

1223. ölü [adj] *dead*

Bu detoksu haftada üç kere uyguladığınızda, yüzünüzdeki **ölü** deriden temizlenip daha sağlıklı bir görünüm elde edeceksiniz.

When you apply this detox three times in a week, you will get rid of the **dead** skin on your face and have a healthier look.

1224. fikir [n] *idea*

Sanat Tarihi dersimin final projesi için yazmam gereken bir rapor var, bu yüzden de bana **fikir** vermesi için hocamla görüşeceğim.

I need to write a report as a final project of my Art History class, that's why I will see my teacher to give me an **idea**.

1225. tahmin [n] *guess*

Havanın nasıl olacağına dair bir **tahmin** yapmak çok zor, çünkü son zamanlarda havalar çok değişken.
It's too hard to make a **guess** about the weather, because nowadays, the weather is so uncertain.

1226. neydi [pron] *what was*

Aile evinde en son yediğin yemek **neydi**?
What was the last food you ate in your family's house?

1227. canım [interj] *honey*

Masadaki tuzu bana uzatır mısın, **canım**?
Can you give me the salt on the table, **honey**?

1228. korkunç [adj] *scary*

Cadılar bayramı için **korkunç** bir vampir kostümü satın aldım.
I bought a **scary** vampire costume for halloween.

1229. yaşlı [adj] *old*

Yaşlı adam elindeki poşetlerle karşıdan karşıya geçmeye çalışıyordu.
The **old** man was trying to cross the streets with the nylon bags in his hands.

1230. sensin [~] *it's you*

Bu okulda en çok değer verdiğim arkadaşım **sensin**.
It's you that I value the most in this school.

1231. hissediyorum [v] *I feel*

İyi bir uyku için her gece duş alıyorum çünkü duştan sonra kendimi iyi **hissediyorum**.

I take a shower every night before going to sleep, because after the shower, **I feel** better.

1232. güle güle [interj] *goodbye*

Güle güle dostum, seni özleyeceğim.

Goodbye my friend, I will miss you.

1233. olmadı [v] *didn't happen*

Uzmanların tahmininin aksine, bu hafta deprem **olmadı**.

Contrary to the estimation of the experts, an earthquake **didn't happen** this week.

1234. ölüm [n] *death*

Ölüm bütün canlıları bekleyen bir sondur.

Death is the end that is waiting for every living being.

1235. içeri [adv] *inside*

Dışarısı çok soğuk, **içeri** gir lütfen.

Outside is so cold, please get **inside**.

1236. her şey [pron] *everything*

Son zamanlarda **her şey** yolunda gidiyor, umarım böyle de devam eder.

Recently **everything** is going well, and I hope it continues like this.

1237. sağ ol [interj] *thanks*

Yardımın için **sağ ol**, artık ödevimi tamamlayabilirim.

Thanks for your help, now I can finish my homework.

1238. çeviri [n] _translation_

Dün akşam arkadaşım aracılığıyla **çeviri** işi teklifi aldım.
Last night I was offered a **translation** job through my friend.

1239. anladın [v] _you understood_

Edebiyat hocasının bugünkü dersinden **ne anladın** söyler misin?
Can you tell me what **you understood** from the literature teacher's lecture today?

1240. çık [v] _get out_

Hey sen! Hemen bu dükkandan **çık**!
Hey you! **Get out** of this shop, immediately!

1241. olurdu [v] _would be_

Bugün bize geleceğini önceden haber verse daha iyi **olurdu**.
It **would be** better if he told me earlier that he would come to our house today.

1242. gelin [v] _come_

Evimin kapısı size her zaman açık, istediğiniz zaman tereddüt etmeden **gelin**!
The doors of my house are always open for you, **come** here any time without hesitating!

1243. ihtiyacın [n] [poss] _your need_

Proteine olan **ihtiyacın** için bol bol yumurta ve et tüketmelisin.
You need to consume eggs and meat abundantly in order to meet **your need** for protein.

1244. parayı [n] _the money_

Parayı sonra verseniz de olur, şu an eğlenmeye bakın.
It is also all right if you give **the money** later, now try to enjoy the moment.

1245. ihtiyacımız [n] [poss] *our need*

Ülkece paraya olan **ihtiyacımız**, uluslararası politik ilişkilerimizde önemli bir rol oynuyor.
Our need for money as a country plays a big role in our international political relations.

1246. rahatsız [adj] *uncomfortable*

Uçakta on iki saat boyunca **rahatsız** bir yolculuk geçirdim, bu yüzden de şu an çok yorgunum.
I had an **uncomfortable** trip on the plane for twelve hours, that's why now I am so tired.

1247. neyin [pron] *what*

Yarınki tarih sınavında **neyin** çıkacağını biliyor musun?
Do you know **what** will be asked in tomorrow's history exam?

1248. acı [adj] *spicy*

Kore mutfağı genellikle **acı** yemeklerden oluşur.
Korean cuisine generally consists of **spicy** food.

1249. biliyordum [v] *I knew*

Onun "Dışarıya çıkacak zamanım yok," derken yalan söylediğini **biliyordum**.
I knew that he was lying when he said, "I have no time to go out".

1250. ediyorsun [aux] *you are doing* (auxilary verb used with nouns)

O bize ihanet etti ama sen hala ona **yardım ediyorsun**.
He betrayed us but you are still **helping** him.

1251. diyorsun [v] *you're saying*

Masaya oturduğundan beri bana **ne diyorsun**, anlayamıyorum.
I can't understand what **you're saying** to me since you sat at this table.

1252. bırakın [v] *leave*

Siz şimdi yemeğinizi yiyin lütfen, bulaşıkları bana **bırakın**.
Please eat your meal now and **leave** the dishes to me.

1253. çek [v] *pull*

Ateş etmek için ilk önce hedefe odaklan ve sonra tetiği **çek**.
To fire a gun, first, focus on your target, and then **pull** the trigger.

1254. geliyorum [v] *I'm coming*

Yarınki futbol maçını izlemeye ben de **geliyorum**, az önce biletimi aldım.
I'm also **coming** to see the football match tomorrow, I've just bought my ticket.

1255. bizimle [prep] [pron] *with us*

Pazar günü **bizimle** birlikte pikniğe gitmek ister misin?
Do you want to go to picnic **with us** on Sunday?

1256. sizinle [prep] [pron] *with you*

Yarınki Eskişehir gezisine **sizinle** gelemeyeceğim için üzgünüm.
I am sorry for not coming to the Eskişehir trip **with you** tomorrow.

1257. tuhaf [adj] *weird*

Son zamanlardaki davranışların çok **tuhaf**, bir sorun mu var?
Recently, your acts are so **weird**, is there a problem?

1258. yakında [adv] *soon*

Okuldan beklediğim para **yakında** hesabıma yatacak, o zamana kadar bekleyin lütfen.

The money I'm waiting for from the school will be on my account **soon**, please wait until then.

1259. annen [n] [poss] *your mom*

Bu kadar yemeğin hepsini **annen** tek başına mı yaptı gerçekten?
Did **your mom** really cook all these foods by herself?

1260. dön [v] *return*

Saat neredeyse gece yarısı, hemen eve **dön** lütfen.
It's almost midnight, please **return** home immediately.

1261. affedersiniz [interj] *excuse me*

Afedersiniz, vaktiniz varsa anketimi doldurabilir misiniz?
Excuse me, if you have time, can you fill out my questionnaire?

1262. Halil [n] *Halil* (masculine name)

Halil fakir bir ailede doğmuştu ama kendi işini kurmayı başardı.
Halil was born to a poor family but he could manage to set up his own business.

1263. yemin [n] *oath*

Onunla bir daha konuşmayacağıma dair **yemin**im var.
I have sworn an **oath** that I'm not going to talk to him again.

1264. berbat [adj] *awful*

Dün akşamki yemek **berbat**tı, ama hiçbir şey söyleyemedim.
The food from last night was **awful**, but I couldn't say anything.

1265. dedin [v] *you said*

Bugün derste bana ne **dedin**, anlayamadım.

I couldn't understand what **you said** to me at today's class.

1266. dikkatli [adj] *careful*

Ali **dikkatli** bir sürücüdür, endişelenmene gerek yok.

Ali is a **careful** driver, you don't need to be worried.

1267. siktir [interj] *f*ck it*

Siktir! Yine otobüsü kaçırdım.

F*ck it! I missed the bus again.

1268. Kadir [n] *Kadir* (masculine name)

Kadir İnanır, Türk sinemasının en popüler aktörlerinden biridir.

Kadir İnanır is one of the most popular actors of Turkish cinema.

1269. otur [v] *sit*

Lütfen **otur**, ayakta bekleme.

Please **sit** down, don't wait standing.

1270. aşağı [prep] *down*

Asansörle **aşağı** ineceğim, elimde bir sürü eşya var.

I will go **down** by the elevator, I have so much stuff in my hands.

1271. yapacağız [v] *we will make*

İşyerinde küçük bir yılbaşı partisi **yapacağız**.

We will make a small Christmas party in our workplace.

1272. burada [adv] *here*

Burada neler oluyor böyle?

What's going on **here**?

1273. yapacak [v] *will make*

Annem doğum günüm için büyük bir yaş pasta **yapacak**.
My mom **will make** a big cake for my birthday.

1274. dışarıda [adv] *out*

Bugün yemek pişirmek istemiyorum, **dışarıda** yiyelim.
I don't want to cook tonight, let's eat **out**.

1275. yapıyorum [v] *I'm doing*

Seni anlamak için elimden geleni **yapıyorum**.
I'm doing my best to understand you.

1276. varmış [v] *was/were*

Arabada yeterince yer **varmış**, bilseydim ben de gelirdim.
There **were** enough spaces in the car, I would've also come if I'd have known.

1277. anlaşıldı [v] *was agreed (on/upon)*

Sonunda ortak bir karar üzerinde **anlaşıldı**.
Finally a common decision **was agreed** upon.

1278. istedi [v] *wanted*

Bu akşam benimle yemek yemek **istedi**.
Tonight she **wanted** to eat with me.

1279. deli [adj] *crazy*

Dedem gerçekten **deli** bir adamdı.
My grandfather was a really **crazy** man.

1280. yukarı [prep] *up*

Pencereden **yukarı** baktığımda yıldızları gördüm.
When I looked **up** from the window, I saw the stars.

1281. şans [n] *luck*

Ben şansa inanmam, her şeyin bir sebebi vardır.
I don't believe in **luck**, everything in life has a reason.

1282. birine [adv] *to someone*

Hayatında hiç **birine** evlilik teklif ettin mi?
Have you ever proposed marriage **to someone** in your life?

1283. söyledin [v] *you said*

Daha dün dışarı çıkacak vaktin olmadığını **söyledin**.
Yesterday **you said** you had no time to go out.

1284. at [n] *horse*

Daha önce hiç **ata** binmedim.
I have never ridden a **horse** before.

1285. istediğini [ptcp] *what you wanted*

Benden ne **istediğini** bilirsem sana yardım ederim.
If I knew **what you wanted** from me, I would help you.

1286. oradan [adv] *from there*

En iyisi **oradan** hemen uzaklaş.
You had better go away **from there** immediately.

1287. kaptan [n] *captain*

Bu geminin **kaptanı** nerede?
Where is the **captain** of this ship?

1288. tatlı [adj] *sweet*

Bu şeftali çok **tatlı**, bundan güzel bir reçel yapabilirim.
This peach is so **sweet**, I can make a good jam from it.

1289. dek [postp] *till, until*

Notlarımı görene **dek** onlar hakkında düşünmeyeceğim.
I'm not going to think about my grades **till** I see them.

1290. uzay [n] *space*

Birçok insan **uzay**da yaşam olabileceğini düşünüyor.
Many people think that life might exist in **space**.

1291. seks [n] *sex*

Çocuklara belli bir yaştan sonra **seks** eğitimi verilmeli.
Sex education should be given to the kids after a certain age.

1292. pardon [interj] *pardon, excuse me*

Pardon, yardım eder misiniz? Sipariş vermek istiyorum.
Excuse me, can you help me? I want to order.

1293. istersen [~] *if you want*

İstersen başka bir kafeye gidebiliriz.
We can go to another café, **if you want**.

1294. duydun [v] *you heard*

Beni **duydun**, hemen buradan ayrıl.
You heard me, leave here immediately.

1295. bilmem [v] *I don't know*

Şu an ne yapıyor **bilmem**, kendisine sor.
I don't know what he's doing now, ask him yourself.

1296. nefes [n] *breath*

Nefesini tut! Şimdi paraşütle aşağı atlayacağız.
Hold your **breath**! Now, we will jump down with a parachute.

1297. yapar [v] *s/he/it does*

Amcam altmış yaşında olmasına rağmen, her sabah egzersiz **yapar**.

Although my uncle is sixty years old, he **does** exercise every morning.

1298. hata [n] *mistake*

Onu dinlemekle çok büyük bir **hata** yaptım.

I made a big **mistake** by listening to him.

1299. getir [v] *bring*

Mutfağa gelirken bugün aldığın bıçağı da **getir**.

When you come to the kitchen, **bring** the knife you bought today.

1300. ettin [aux] *you did/performed* (auxilary verb used with nouns)

Arabayı 2 gün önce **tamir ettin** ama yine bozuldu.

You **repaired** the car 2 days ago, but it broke down again.

1301. keşke [interj] *I wish/if only*

Keşke daha önceden söyleseydin, seni beklerdim.

I wish you had told me before; I would've waited for you.

1302. bununla [adv] *with this*

Bununla ne yapacağımı bilmiyorum.

I don't know what to do **with this**.

1303. tut [v] *hold*

Kağıdın ucundan **tut** ve bana doğru uzat.

Hold the paper from the end and pass it towards me.

1304. biliyoruz [v] *we know*

Onun ne kadar çalışkan olduğunu **biliyoruz**.
We know how clever he is.

1305. inanamıyorum [interj] *I can't believe*

Sınavın bu kadar kısa sürdüğüne **inanamıyorum**.
I can't believe that the exam was so short.

1306. koca [adj] *huge*

Evin önüne **koca** bir kardan adam yaptık.
We made a **huge** snowman in front of the house.

1307. ajan [n] *spy*

Ajan olmak çok tehlikeli ve zor bir iş.
Being a **spy** is such a dangerous and difficult job.

1308. kahve [n] *coffee*

İki saat ders çalıştıktan sonra şimdi **kahve** sırası.
After studying for two hours, now it's time for a **coffee** break.

1309. benziyor [v] *looks like*

Fotoğraftaki çocuk kuzenime **benziyor**.
The kid in the picture **looks like** my cousin.

1310. neye [pron] *what*

Sonunda **neye** karar verdin?
What did you decide on, after all?

1311. her şeyi [adv] *everything*

Kardeşim benden hiçbir şey saklamaz, bana **her şeyi** anlatır.
My sister never hides anything from me, she tells **everything**.

1312. isterim [v] *I want*

Paris'e gideceksen, oradan bir hediye **isterim**.
If you're going to Paris, **I want** a present from there.

1313. sefer [n] *expedition*

Mesleğim turistler için çeşitli **sefer**ler düzenlemektir.
My occupation is organizing various **expedition**s for tourists.

1314. evine [n] *to your home*

Saat geç oldu, artık **evine** git.
It's too late now, go back **to your home**.

1315. görüyorum [v] *I see*

Görüyorum ki burada eğleniyorsun, yapacak başka bir şeyinin olduğunu unuttun mu?
I see you're having fun here; did you forget that you had to do something else?

1316. kızlar [n] [pl] *girls*

Yarın **kızlar** arasında küçük bir parti yapmak istiyorum.
Tomorrow I want to throw a small party between **girls**.

1317. hayatın [n] *your life*

Eğlence için **hayatın**ı tehlikeye atma, ekstrem sporlar çok riskli.
Don't put **your life** in danger for fun, extreme sports are too risky.

1318. üstüne [postp] *over*

Annem her zaman çocuklarının **üstüne** titrer.
My mom always fusses **over** her children.

1319. insanlar [n] [pl] *people*

İnsanlar ilk önce duyduklarına inanırlar.
People first believe in what they hear.

1320. tehlikeli [adj] *dangerous*

Gece vakti tek başına dışarı çıkma, sokaklar çok **tehlikeli**.
Don't go out alone during the night, the streets are too **dangerous**.

1321. dalga [n] *wave*

Güneş altında gözlerimi kapatıp **dalga** seslerini dinlemek istiyorum.
I want to close my eyes under the sun and listen to the sound of the **waves**.

1322. aldın [v] *you took*

Gözlerini annenden **aldın**, saçlarınsa babaninkilere benziyor.
You took your eyes from your mother, but your hair looks like your father's.

1323. bayım [n] *sir*

Afedersiniz **bayım**, biraz beni dinleyebilir misiniz?
Excuse me **sir**, can you listen to me for a moment?

1324. millet [n] *nation*

Kurtuluş Savaşı, Türk **Millet**i için çok önemli bir savaştır.
The war of independence is a very important war for the Turkish **Nation**.

1325. yaşında [postp] *years old*

Henüz on iki **yaşında** olmasına rağmen, çok iyi piyano ve keman çalabiliyor.
Although he is twelve **years old**, he can play piano and violin very well.

1326. ufak [adj] *small*

Pastadan **ufak** bir dilim alsam yeterli, teşekkür ederim.
A **small** slice of cake is enough for me, thank you.

1327. buradayım [~] *I'm here*

Tam iki saattir **buradayım**, seni bekliyorum.
I'm here for exactly two hours, waiting for you.

1328. aynen [interj] *exactly*

Dediğimi **aynen** yapmanı istiyorum, bu yüzden beni iyi dinle.
I want you to do **exactly** what I say, so listen to me carefully.

1329. gidin [v] [pl] *go*

Siz önden **gidin** lütfen, ben biraz gecikeceğim.
Please **go** before me, I will be a bit late.

1330. kör [adj] *blind*

İnsanlar **kör** adamın yolun karşısına geçmesine yardım ettiler.
People helped the **blind** man to cross the road.

1331. olası [ptcp] *possible*

Olası bir deprem ihtimaline karşı evde ilk yardım kiti
bulundurunuz.
Please keep a first aid kit in your home in case of a **possible**
earthquake.

1332. zamandır [postp] *for a time*

Uzun **zamandır** bu kadar çok eğlenmemiştim.
I haven't had this much fun **for a** long **time**.

1333. herhalde [adv] *probably*

Yarın **herhalde** okul tatil olacak çünkü kar şiddetli yağmaya
başladı.
Tomorrow **probably** the school will be closed for holidays,
because it started snowing very hard.

1334. arabada [adv] *in the car*

Hemen döneceğim, sigaramı **arabada** unutmuşum.
I will be right back; I forgot my cigarettes **in the car**.

1335. ahbap [n] *friend*

Bu akşam, **ahbap**larımla dışarıda yemek yiyeceğim.
Tonight, I'm going to eat out with my **friends**.

1336. sessiz [adv] *quiet*

Kütüphane her zaman **sessiz** olduğu için rahatça ders
çalışabilirsin.
You can study very easily in the library because it's always **quiet**.

1337. köpek [n] *dog*

Her zaman bir **köpek** ve bir kedim olsun istemişimdir, ama
annem evde evcil hayvan istemiyor.
I always wanted to own a **dog** and a cat, but my mother doesn't
want a pet in the house.

1338. kahrolası [ptcp] *damn*

Bu **kahrolası** mahalleden artık ayrılmak istiyorum.
I want to leave this **damn** neighborhood.

1339. temiz [adj] *clean*

Temiz havluları resepsiyondan temin edebilirsiniz.
You can receive the **clean** towels from reception.

1340. olmalısın [~] *you must be*

Her zaman çok lezzetli yemek yapıyorsun, kesinlikle aşçı
olmalısın.
You always make delicious meals, **you must be** a cook.

1341. görünüyorsun [v] *you look*

Yorgun **görünüyorsun**, iş yerinde fazla mesai mi yaptın?
You look tired, did you work overtime in your workplace?

1342. arkadaş [n] *friend*

Yurt dışındayken birçok **arkadaş** edindim, hepsiyle halen görüşmekteyim.
I had so many **friends** when I was abroad, I'm still in contact with all of them.

1343. bilmiyor [v] *s/he/it doesn't know*

Beş yıldır tek başına yaşamasına rağmen hâlâ yemek yapmayı **bilmiyor**.
He **doesn't know** how to cook although he's been living alone for five years.

1344. görüyor [v] *s/he/it sees*

Küçük kardeşim babamı rol model olarak **görüyor**.
My little brother **sees** my father as a role model.

1345. anlamıyorum [v] *I don't understand*

Bazen tarih hocamın derste neden bahsettiğini **anlamıyorum**, ancak ders notlarını okuyarak anlayabiliyorum.
Sometimes **I don't understand** what my history teacher is talking about, I can only understand from the lecture notes.

1346. hoşça [adv] *nicely*

Dün öğleden sonra gittiğim kafe **hoşça** tasarlanmıştı ve kahvesi çok kaliteliydi.
The café I went to yesterday afternoon was **nicely** decorated and the coffee was delicious.

1347. vakit [n] *time*

Ceren ile birlikteyken her zaman çok iyi **vakit** geçiriyorum.

When I am with Ceren, I always have very good **time**.

1348. yapmam [v] *I don't*

Genellikle yemek **yapmam**, ama yapmak istersem çok lezzetli bir öğün hazırlayabilirim.

Usually **I don't** cook, but when I want to do it, I can prepare a very tasty meal.

1349. söylüyorum [v] *I'm telling*

Sana doğruyu **söylüyorum**, bana inan lütfen.

I'm telling you the truth, please believe me.

1350. yedi [num] *seven*

Çocuğum yarın **yedi** yaşına girecek, zaman ne kadar da çabuk geçiyor.

My child will be **seven** years old tomorrow, time goes so fast.

1351. olacaksın [v] *you will be*

Sen de bir gün anne **olacaksın**, o zaman beni anlarsın.

You will also **be** a mother one day, then you will understand me.

1352. düşünüyor [v] *(she/he/it) thinks*

Erkek arkadaşım başka bir şehre taşınmayı **düşünüyor**.

My boyfriend **thinks** about moving to another city.

1353. söylemiştim [v] *I told*

O bankaya güvenmemen gerektiğini sana **söylemiştim**, şimdi kaybettiğin paralara ne olacak?

I told you not to trust that bank, now what's going to happen to the money you lost?

1354. doğum [n] *birth*

Doğum tarihinizi girdikten sonra sisteme kaydolabilirsiniz.
You can sign up to the system after you enter your **birth** date.

1355. olduğun [ptcp] *be*

İlk kez aşık **olduğun** kişiyi hatırlıyor musun?
Do you remember the person whom you **were** first in love with?

1356. yapacaksın [v] *you will do*

Mezun olduktan sonra ne **yapacaksın**, hiç düşündün mü?
Have you ever thought about what **you will do** after you graduate?

1357. diyorum [v] *I'm saying*

Diyorum ki, hepimiz bir miktar para verip hocamıza doğum günü hediyesi alabiliriz.
What **I'm saying** is we can give a certain amount of money and buy a birthday present for our teacher.

1358. düşman [n] *enemy*

Düşman birlikleri saldırıyor! Siper alın!
Enemy troops are attacking! Take cover!

1359. düşün [v] *think*

Bir de anneni **düşün**, seni ne kadar çok özlemiştir kim bilir.
Think about your mother, who knows how much she missed you.

1360. buldun [v] *you found*

Ne yapıp edip istediğin renkte çantayı **buldun**, tebrikler.
Somehow **you found** the bag with the color you wanted, congratulations.

1361. alın [n] *forehead*

Alında oluşan çizgilerden nasıl kurtulabilirim?
How can I get rid of the **forehead** lines?

1362. acil [adj] *emergency*

Yangın durumunda **acil** çıkış kapısını kullanınız.
In case of a fire please use the **emergency** door.

1363. istediğin [ptcp] *whenever*

Yardıma ihtiyacın olduğunda **istediğin** zaman beni arayabilirsin.
When you need help, you can call me **whenever** you want.

1364. bilemiyorum [~] *I don't know*

Bu yağmurlu havada dışarıda ne yapabiliriz, **bilemiyorum**.
I don't know what we can do in this rainy weather.

1365. kızım [n] [poss] *my daughter*

Kızım İngiltere'de master programına başladı.
My daughter started a master's program in England.

1366. haklı [adv] *right*

Restoran sahibiyle yaptığınız tartışmada sizin **haklı** olduğunuzu
düşünüyorum.
I think you were **right** on the discussion with the restaurant
owner.

1367. kimsenin [pron] [poss] *nobody's*

Kimsenin zevkini eleştirmiyorum, ama metal müzikten hiç
hoşlanmıyorum.
I don't criticize **anybody's** taste, but I don't like metal music at all.

1368. sesini [n] *(somebody's) voice*

Arkadaşımın **sesini** nerede duysam tanırım.
I can recognize my friend's **voice** wherever I hear it.

1369. olsaydı [conj] *if*

Yeterli param **olsaydı**, Burberry marka bir çanta almak isterdim.
If I had enough money, I would buy a Burberry brand bag.

1370. bulmak [v] *to find*

Yeni bir ortamda arkadaş **bulmak** başta çok zor.
It's too hard **to find** a friend in a new environment, at first.

1371. tıpkı [adj] *exactly like*

Sınıfımdaki bir öğrenci **tıpkı** sana benziyordu!
A student in my class looked **exactly like** you!

1372. gitmem [v] *I don't go*

Genellikle içkili mekanlara **gitmem**.
I usually **don't go** to the places with alcohol.

1373. uyuşturucu [n] *drugs*

Çocuk yaşta **uyuşturucu** kullanımı ve satımı ülkemizin ciddi bir sorunudur.
Using and selling **drugs** at a young age is a serious problem of our country.

1374. şüpheli [adj] *suspicious, suspect*

Senin ismin de **şüpheli**ler listesinde, o yüzden dikkatli ol.
Your name is also on the list of **suspects**, so be careful.

1375. işler [n] [pl] *works*

Son zamanlarda **işler** nasıl gidiyor?
How are the **works** going lately?

1376. çekil [v] *get away*

Yolumdan **çekil**, yoksa sana çarpabilirim!
Get away from me, or I can bump into you!

1377. olduğum [ptcp] *I was*

Üyesi **olduğum** dernekten başkanlık teklifi aldım.
I **was** offered to be the president of the association of which I **was** a member.

1378. bilmiyordum [v] *I didn't know*

Senin de aynı işe başvurduğunu **bilmiyordum**.
I didn't know that you also applied for the same job.

1379. numara [n] *number*

İletişime geçmek için beni bu **numara**dan arayabilirsiniz.
You can call me at this **number** to be in contact.

1380. üstünde [adv] *above*

Notlarım ortalamanın **üstünde** olsun yeterli.
It's enough if my grades are **above** the average.

1381. bilir [v] *(he/she/it) knows*

Kim **bilir** ne zaman geri dönecek.
Who **knows** when she will be back.

1382. orospu [n] *prostitute*

Gece yarısından sonra bu sokakta birçok **orospu** görebilirsiniz.
You can see many prostitutes in this street after **midnight**.

1383. edeceğim [aux] *I will do / I am going to do (auxilary verb used with nouns)*

Ne olursa olsun ben seni desteklemeye **devam edeceğim**.
I will continue to support you, no matter what.

1384. arkadaşın [n] *your friend*

Yarınki partiye **arkadaşın** da gelebilir, ancak kendisinden sen sorumlu olursun.

Your friend can also come to tomorrow's party, but you will be responsible for him.

1385. alabilir [v] *can take*

İş çıkışı seni babam **alabilir**, saat kaçta çıkacaksın?

My father **can take** you after work, at what time will you leave?

1386. hatırlıyor [v] *(he/she/it) remembers*

Aradan on beş yıl geçmesine rağmen o olayı **hatırlıyor**.

He **remembers** that incident even though it was fifteen years ago.

1387. bakma [v] *don't look*

Sakın içeriye **bakma**! Sana sürpriz olacak!

Don't look inside! It will be a surprise for you!

1388. almak [adv] *to take*

Okula kardeşimi **alma**ya gidiyorum, gelirken bir şey almamı ister misin?

I'm going to **to take** my little sister to school, do you want me to buy something while I'm out?

1389. gerçeği [n] *the reality*

Hep bir bahane buluyorsun, bu **gerçeği** ne zaman kabulleneceksin?

You're always finding an excuse, when will you accept this **reality**?

1390. cinayet [n] *murder*

Televizyondaki **cinayet** haberi cok korkutucu ve sarsıcıydı.

The **murder** news on the TV was so frightening and devastating.

208

1391. yaparım [v] *I do*

Her sabah kahvaltıdan önce bir saat spor **yaparım**.
Every morning before breakfast, **I do** sports.

1392. kızın [n] [poss] *the girl's*

Kızın çantası açık kalmış, uyarsak iyi olur.
The girl's bag was left open, we had better warn her.

1393. muhteşem [adj] *great*

Dün gece izlediğimiz film **muhteşem**di, sana da öneririm.
The movie we watched yesterday was **great**, I recommend that
you watch it too.

1394. çirkin [adj] *ugly*

Herkes bu aktrisi seviyor ama bence o çok **çirkin**.
Everyone loves this actress, but I think she is quite **ugly**.

1395. öldürmek [v] *to kill*

Bu ormanda av mevsimi dışında hayvan **öldürmek** yasaktır.
It is forbidden **to kill** animals in this forest, except in the hunting
season.

1396. oda [n] *room*

Kardeşimle aynı **oda**da kalmak istemiyorum, ayrı bir odaya
çıkmak istiyorum.
I don't want to live in the same **room** with my brother, I want to
move to another room.

1397. kırmızı [adj] *red*

Evin önünde **kırmızı** bir araba var, kim geldi acaba?
There is a **red** car in front of the house, I wonder who has come.

1398. söyleme [v] *don't say*

Öyle **söyleme**, senin için yaptıklarını düşün önce.
Don't say that, first, think about the things he has done for you.

1399. gelmiş [v] *came*

Arkadaşım otobüsü kaçırdığı için buraya yürüyerek **gelmiş**.
My friend **came** here by walking because she missed the bus.

1400. kimsin [~] *who are you*

Hey! Seni ilk kez burada görüyorum, **kimsin**?
Hey, it's my first time seeing you here, **who are you**?

1401. evi [n] *the house*

Bu **evi** çok seviyorum, içinde çok güzel anılarım oldu; ama artık
daha büyük bir eve taşınmanın zamanı geldi.
I love this **house** very much, I've had very good memories here;
but now it's time to move to a bigger house.

1402. pislik [n] *dirt*

Restoranın mutfağı **pislik** dolu, burada asla yemek yemem.
The kitchen of the restaurant is full of **dirt**, I will never eat here.

1403. bahsediyorsun [v] *you're talking*

Deminden beri neden **bahsediyorsun** bilmiyorum, ama bence
biraz sakinleşmeye ihtiyacın var.
I don't know what **you're talking** about for all this time, but I
think you need to calm down.

1404. kalk [v] *stand up*

Öğretmen sınıfa geldiği zaman ayağa **kalk**, bu bir saygı
göstergesidir.
Stand up when the teacher comes to the class, this is an indication
of showing respect.

1405. sıkı [adj] *strict*

Yeni patron işyerinde **sıkı** kurallar uygulamak istiyor.
The new boss wants to apply **strict** rules for the workplace.

1406. bekliyor [v] *waiting*

Çabuk olmalıyız, taksi yirmi dakikadır dışarıda bizi **bekliyor**.
We should hurry, the taxi has been **waiting** for us for twenty minutes.

1407. işe [n] *to work*

Bu aralar pazar günleri de **işe** gitmek zorundayım.
Nowadays, I have to go **to work** on Sundays, too.

1408. unutma [v] *don't forget*

Okula gelirken ödevini yanında getirmeyi **unutma**, öğretmen bu konuda çok katı.
Don't forget to bring your homework with you while coming to the school, the teacher is so strict about this.

1409. buradaki [adj] *here*

Buradaki hayatım çok eğlenceli geçiyor, bu yüzden okula geri dönmek istemiyorum.
My life **here** is so much fun; that's why I don't want to go back to school.

1410. işim [n] *my job*

Müşterilerimin şikayetlerini dinlemek ve onlara yardımcı olmak benim **işim**.
Listening to my customer's complaints and helping them is **my job**.

211

1411. mesaj [n] *message*

Müsait olduğun zaman bana **mesaj** gönder, bir şeyler yapalım.
Send me a **message** when you're available, we can do something.

1412. zavallı [adj] *poor*

Zavallı kedicik, yağmur altında ıslanıyor, gidecek bir yuvası yok sanırım.
Poor kitty, it's getting wet in the rain, I guess it doesn't have a home to go to.

1413. fena [adv] *awful*

Sorumluluklarını yerine getirmezsen sonuçları çok **fena** olur.
If you don't fulfill your responsibilities, the consequences will be **awful**.

1414. güvenli [adj] *safe*

Burası **güvenli** bir mahalle, çocuklu aileler burada rahatlıkla ve güvenle yaşayabilir.
Here is a **safe** neighborhood, families with children can live here comfortably and safely.

1415. istiyorsan [~] *if you want*

İllaki bana yardım etmek **istiyorsan**, şuradaki soğanları doğrayıp tavada kavurabilirsin.
If you really **want** to help me, you can cut the onions over there and fry them in the pan.

1416. kimseye [adv] *to anyone*

Ecem, **kimseye** zararı olmayan, sessiz ve sakin bir kızdır.
Ecem is a calm and quiet girl who has done no harm **to anyone**.

1417. yürü [v] *walk*

Sağlıklı kilo vermek istiyorsan, yediklerine dikkat et ve bol bol **yürü**.

If you want to lose weight healthily, watch out what you eat and **walk** a lot.

1418. anlat [v] *tell*

Görüşmeyeli uzun zaman oldu, bana şimdiye kadar neler yaptığını **anlat**.

It's been a long time since I last saw you; **tell** me what you did until now.

1419. söylüyorsun [v] *you're saying*

Bana neler **söylüyorsun**, farkında mısın?

Are you aware of what **you're saying** to me?

1420. biriyle [adv] *with someone*

Dün akşam Mehmet'i **biriyle** birlikte bir restoranda gördüm.

Last night, I saw Mehmet **with someone** in a restaurant.

1421. şarkı [n] *song*

Bana yolda dinlemem için birkaç **şarkı** önerir misin?

Can you give me some **song** recommendations to listen to on the road?

1422. konuşma [n] *speech*

Yarın yüz kişinin önünde bir **konuşma** yapmak zorundayım, çok gergin hissediyorum.

Tomorrow, I have to give a **speech** in front of one hundred people; I feel very nervous.

1423. içki [n] *alcohol*

On sekiz yaşından küçüklerin **içki** içmesi tehlikeli ve yasaktır.
It is dangerous and forbidden for people under eighteen to drink **alcohol**.

1424. işi [n] *his/her job*

Babam **işini** sevmiyor; bu yüzden **işi** bırakmayı düşünüyor.
My father doesn't like **his job**; that's why he is planning to quit.

1425. bir şeyler [pron] *something*

Bu bilgisayarda **bir şeyler** yolunda gitmiyor, ama sorun nedir tam olarak bilmiyorum.
Something is wrong with this computer, but I don't know the exact problem.

1426. Davut [n] *Davut/David* (masculine name)

Davut, matematiği iyi olmadığı için, fizik okumak istemiyor.
Davut doesn't want to study physics as he is bad at math.

1427. ilaç [n] *medicine*

Gönüllü bir grup, savaş mağdurlarına yiyecek ve **ilaç** sağlıyor.
A volunteer group provides war victims with food and **medicine**.

1428. kedi [n] *cat*

İstanbul birçok sokak **kedi**sine ev sahipliği yapar, *Catstanbul* denilmesinin sebebi budur.
Istanbul is home to thousands of stray **cats**, that's why it is referred to as *Catstanbul*.

1429. onlardan [adv] *from them*

Onlardan aldığın bilgileri bize de söyleyecek misin?
Will you tell me the information you received **from them**?

1430. sonu [n] *the end of*

Oyunun **sonu**na geldik, kazananı bu son düello belirleyecek.

We are now at **the end of** this game; the winner will be determined by this last duel.

1431. zamanlar [adv] [pl] *times*

O **zamanlar** cep telefonu kullanmak yaygın değildi, mesajlaşmak da yoktu.

In those **times** using cellphones weren't common, and there was no such thing as messaging.

1432. saçma [adj] *ridiculous*

Bazı moda akımları bazen çok **saçma** tasarımları da barındırabiliyor.

Some fashion trends can have **ridiculous** designs.

1433. adamlar [n] [pl] *men*

Okulun önünde bir sürü takım elbiseli **adamlar** var, neler oluyor?

There are so many **men** wearing suits, what's going on?

1434. yanına [postp] *next to*

Eşyalarını çalışma masasının **yanına** bırakabilirsin.

You can leave your belongings **next to** the desk.

1435. geldik [v] *we came*

Dışarıdan eve saat on iki civarı **geldik**.

We came back home from being out at around twelve o'clock.

1436. anlamı [n] *meaning of*

Bu Türkçe kelimenin **anlamı** içeriğe göre değişebilir.

The **meaning of** this Turkish word can change according to the context.

1437. parçası [n] *piece of*

Yüzüğün üzerinde küçük bir altın **parçası** var.
There is a small **piece of** gold on the ring.

1438. olduğundan [conj] *as/since/because of*

İnternet bugün yavaş **olduğundan**, mailine geç cevap vermek zorunda kaldım.
I have to answer your email late, **as** the internet connection was very slow today.

1439. bulduk [v] *we found*

Trende kaybettiğiniz cüzdanınızı **bulduk**, istasyona gelip alabilirsiniz.
We found the wallet you lost in the train, you can take it from the station.

1440. silahı [n] *the gun*

Silahı kullanmadan önce iyice temizlemen gerek.
You need to clean **the gun** very well before using it.

1441. yapabilirim [v] *I can make*

Bu akşam için yemekte lazanya **yapabilirim**, saat kaçta evde olursun?
I can make lasagna for dinner tonight, at what time will you be at home?

1442. yapalım [v] *let's do*

Haydi hep beraber spor **yapalım**, bugün çok fazla yemek yedik.
Let's do sports together, we ate a lot today.

1443. bayanlar [n] [pl] *women*

Bu yüzme havuzu sadece **bayanlar**a özel, karma bir havuz için şu adrese gidebilirsiniz.

This swimming pool is for **women** only, you can go to this address for a mixed pool.

1444. alacağım [v] *I'll take/I'll get*

Beni biraz bekle, on dakika içinde seni evin önünden **alacağım**.

Wait for me for a while, **I'll get** you from home in ten minutes.

1445. anlıyor [v] *understands*

Beni en iyi ablam **anlıyor**, onunla konuşmak istiyorum.

My sister **understands** me the most, I want to talk to her.

1446. sevgili [n] *boyfriend/girlfriend*

Daha önce hiç **sevgili**nle seyahate çıktın mı?

Have you ever been on a trip with your **boyfriend**?

1447. ölmüş [adj] *dead*

Bu yüz maskesi ile yüzünüzdeki **ölmüş** deriden kurtulacaksınız.

With this face mask, you will get rid of the **dead** skin on your face.

1448. değiliz [v] *we're not*

Yarın resmi tatil dolayısıyla açık **değiliz**.

Tomorrow, **we're not** open due to the national holiday.

1449. aşkına [postp] *for the sake of*

Allah **aşkına**, burada neler olduğunu bana açıklar misin?

For the sake of God, can you tell me what's going on here?

1450. babası [n] [poss] *(someone's) father*

Arkadaşımın **babası** bir restoranda aşçı olarak çalışıyormuş.

My friend's **father** was working in a restaurant as a cook.

217

1451. suç [n] *crime*

Bir şahsa veya mekana fiziksel şiddet uygulamak kanunen **suç** sayılır.
Committing physical violence against a person or a place is regarded as a **crime** by law.

1452. yemeği [n] [poss] *meal of*

Bugünün **yemeği** carbonara makarna ve domates çorbasıdır.
Today's **meal** is carbonara pasta and tomato soup.

1453. burayı [adv] *here*

Burayı çok fazla bilmiyorum, bu yüzden de size yol tarif edemeyeceğim.
I don't know **here** so much, so I can't give you directions.

1454. gayet [adv] *quite*

Açıklamalar **gayet** net, bir sorunuz olacağını sanmıyorum.
The instructions are **quite** clear, I don't think you will have a question.

1455. umurumda [~] *I care*

Biletlerin pahalı olup olmaması senin umrunda olmayabilir, ama benim **umurumda**.
You may not care whether the tickets are expensive or not, but **I care**.

1456. general [n] *general*

Hava Kuvvetleri **General**i, bugünkü askeri gösteriye katılacak.
The **General** of the Air Forces will attend to today's military program.

1457. bok [n] *shit*

Bu sokaklar **bok** gibi kokuyor, buralar hiç temizlenmiyor mu?
These streets smell like **shit**, doesn't anyone clean here?

1458. bizden [adv] *from us*

Bizden istediğiniz bir şey varsa söyleyebilirsiniz.
If you have anything you want **from us**, you can say so.

1459. elinde [adv] *in one's hands*

Yarınki final sınavında başarılı olmak tamamen senin **elinde**.
Succeeding tomorrow's final exam is completely **in your hands**.

1460. dürüst [adj] *honest*

Babam anneme karşı hep **dürüst** bir insan oldu, anneme yalan söylediğini bir kez bile duymadım.
My father has always been an **honest** person to my mother, I've never heard that he lied to my mom.

1461. iyiyim [interj] *I'm fine*

Ben de **iyiyim**, sorduğun için teşekkür ederim.
I'm fine too, thank you for asking.

1462. taksi [n] *taxi*

Arkadaşım buraya gelen son treni kaçırdı ve **taksi** tutmak zorunda kaldı.
My friend missed the last train coming here and had to take a **taxi**.

1463. yargıç [n] *judge*

Yargıç tokmağını vurdu ve kararı açıkladı.
The **judge** banged his gavel and announced the verdict.

1464. affedersin [interj] *sorry*

Affedersin, yarın İngilizce sınavı için beni çalıştırır mısın?
Sorry, but can you train me for tomorrow's English exam?

1465. eğlenceli [adj] *fun*

Senin sayende dün akşam çok **eğlenceli** bir akşam geçirdik, çok teşekkür ederiz.

Thanks to you, we had a very **fun** night yesterday; thank you very much.

1466. kayıp [n] *lost*

Kayıp eşya sorgulamak için AVM'nin giriş katındaki güvenlik bürosuna danışınız.

Please consult the security office in the first floor in order to check the **lost** items.

1467. gerekiyordu [v] *needed*

Bu elbise tasarımını bitirebilmek için biraz zaman **gerekiyordu**, ancak süre kısıtlıydı.

Finishing this design **needed** some time, but the time was very limited.

1468. yaptığın [ptcp] *that you did*

Şimdiye kadar **yaptığın** en aptalca davranış neydi?

What was the most stupid behavior **you did** so far?

1469. onlarla [adv] *with them*

Onlarla dışarı çıkmak istemiyorum, çünkü hepsi çok sıkıcı.

I don't want to go out **with them**, because they're all so boring.

1470. çocukları [n] *the kids*

Bir geceliğine **çocukları** bakıcıya bırakıp baş başa dışarı çıkalım istiyorum.

I want to leave **the kids** to the babysitter for one night and go out by ourselves.

1471. teklif [n] *offer*

Dünyaca ünlü bir şirketten iş **teklif**i aldım, ama kabul edersem Çin'de çalışmam gerekecek.

I received a job **offer** from a company known worldwide, but if I accept it, I will have to work in China.

1472. seviyor [v] *loves*

Erkek kardeşim mantıyı çok **seviyor** diye, annemle birlikte bir sürü mantı yaptık.

My mother and I made lots of dumplings because my brother **loves** them very much.

1473. bekleyin [v] *wait*

Beş dakika **bekleyin** lütfen, sizi yetkili kişiye aktarıyorum.

Please **wait** for five minutes, I'm transferring you to the person in charge.

1474. babamın [n] *my father's*

Babamın kredi kartını kullanmak için önce izin almam gerek.

I have to get **my father's** permission to use his credit card.

1475. çalışıyorsun [v] *you're working*

Neredeyse her gün **çalışıyorsun**, ne zaman bana vakit ayıracaksın?

You're working almost every day; when will you spare time for me?

1476. soğuk [adj] *cold*

Aralık ayında olmamıza rağmen hava çok da **soğuk** değil.

Although we are in December now, the weather is not so **cold**.

1477. katil [n] *murderer*

Yıllardır aranan katil aslında çok yakınımızda imiş.

The **murderer,** wanted for years, was in fact so close to us.

1478. yaşıyor [v] *is living*

Kardeşim üniversiteye başladığı için şu an başka bir şehirde **yaşıyor**.

My sister **is living** in another city right now, because she has just started university.

1479. iyisi [adj] *good*

Portakalın **iyisi** ve faydalısı Akdeniz'de bulunur.

A **good** and nutritious orange can be found in the Mediterranean region.

1480. internet sitesi [n] *website*

Moda ve güzellik ile ilgili bir **internet sitesi** açmak istiyorum.

I want to open a **website** about fashion and beauty.

1481. söyleyeyim [~] *let me say*

İstediğini yapmakta özgürsün, lakin bu işi pek onaylamadığımı da **söyleyeyim**.

You're free to do what you want, but **let me say** that I don't approve.

1482. istemiyor [v] *doesn't want*

Evlendikten hemen sonra çocuk sahibi olmak **istemiyor**, ama erkek arkadaşı aynı şeyi düşünmüyor.

She **doesn't want** to have a child immediately after marriage, but her boyfriend doesn't think the same.

1483. gitsin [v] *go*

O adam hemen bu evden **gitsin** istiyorum!

I want that man to **go** away from this house, now!

1484. Cansu [n] *Cansu* (feminine name)

Cansu depremden sonra evini ve ailesini kaybetti, şimdi tek başına hayatta kalmaya çalışıyor.

Cansu lost her home and family after the earthquake, she is now trying to survive on her own.

1485. baksana [interj] *look*

Şu elbiseye **baksana**, tam benim aradığım tarzda!

Look at this dress, it's exactly the same style I'm looking for!

1486. düğün [n] *wedding*

Düğün, kötü hava koşulları nedeniyle ertelendi.

The **wedding** has been postponed due to bad weather.

1487. gurur [n] *pride*

Her insanda **gurur** duygusu vardır, ama bazen bu duyguyu kontrol altına almayı bilmeliyiz.

Everybody has a feeling of **pride**, but sometimes we need to know how to control this feeling.

1488. tanıyor [v] *knows*

Piyano öğretmenim Türkiye'deki ünlü piyanistlerin çoğunu bizzat **tanıyor**.

My piano teacher **knows** almost every famous pianist in Turkey in person.

1489. geldiniz [v] *you came*

Sergime iyi ki **geldiniz**, sizi görünce çok mutlu oldum.

I'm glad that you **came** to my exhibition, I am very happy to see you.

1490. arkadaşı [n] [poss] *(someone's) friend*

Duydum ki yarınki Uludağ gezisine Ayhan'ın **arkadaşı** da gelecekmiş.

I heard that Ayhan's **friend** would also come on the Uludağ trip tomorrow.

1491. Mine [n] *Mine* **(feminine name)**

Mine bir elektronik şirketinde mühendis olarak çalışıyor ama işinden memnun değil.

Mine works as an engineer in an electronics company but she is not happy with her job.

1492. siyah [adj] *black*

Kıyafetlerim genellikle **siyah** ve tonları renklerindedir, çünkü siyah her zaman şık gösterir.

My clothes are usually **black** and its shades, because black always looks chic.

1493. göster [v] *show*

Hadi bana bugün alışverişte neler aldığını **göster**, çok merak ediyorum.

Show me what you bought from shopping today, I am very curious.

1494. saç [n] *hair*

Dışarı çıkmadan önce **saçımı** yıkamam gerek.

I need to wash my **hair** before going out.

1495. boş ver [interj] *never mind*

Senden benim için bir iyilik yapmanı isteyecektim, ama **boş ver**.

I was going to ask you to do me a favor but **never mind**.

1496. kapı [n] *door*

Lütfen çıkışlar için arkadaki **kapı**yı kullanınız, ön **kapı** sadece girişler için geçerlidir.

Please use the back **door** for the exit; the front **door** is only for the entrance.

1497. patron [n] *boss*

Bir önceki **patron**um çok katı bir adamdı, ama şu anki **patron**umdan memnunum.

My previous **boss** was a very strict man, but now I'm content with my current **boss**.

1498. istiyoruz [v] *we want*

Bugün akşam yemeğinde hamburger yemek **istiyoruz**.
Tonight **we want** to eat hamburger for dinner.

1499. tarafa [n] *side*

Yakındaki kavşağı geçtikten sonra ne **tarafa** döneyim?
After passing the crossroad nearby, which **side** should I turn?

1500. anlaşma [n] *agreement*

Yaklaşık beş saat tartıştıktan sonra sonunda bir **anlaşmaya** vardılar.

After debating for about five hours, they finally came to an **agreement**.

1501. cumartesi [n] *Saturday*

En sevdiğim Youtuber bu **cumartesi** yayın yapacak.
My favorite Youtuber will be streaming on this **Saturday**.

1502. geldiğini [ptcp] *that you/he/she came*

Geldiğini fark etmediğim için seni aniden görünce korktum.

I got scared when I saw you suddenly because I didn't realize **that you came**.

1503. dinleyin [v] *listen*

Beni **dinleyin**.

Listen to me.

1504. eskiden [adv] *once*

Teksas **eskiden** Meksika tarafından yönetiliyordu.

Texas was **once** ruled by Mexico.

1505. görmedim [v] *I didn't see*

Babannemin ameliyattan çıktığını söylediler ama onu **görmedim**.

They told me that my grandmother came out of the surgery, but **I didn't see** her.

1506. yarım [adj] *half*

Kahvaltıda **yarım** somun ekmek yedim.

I ate **half** a loaf of bread at breakfast.

1507. fikrim [n] *my idea*

Yürüyüşe çıkmak **benim fikrim** değildi.

It wasn't **my idea** to go for a walk.

1508. duyuyor [v] *he/she is hearing*

Kardeşin bizi dinlemiyor sanıyorsun, ama o bütün konuştuklarımızı **duyuyor**.

You think your brother is not listening to us, but **he is hearing** everything we say.

1509. olmasın [adv] *not*

Neden **olmasın**?

Why **not**?

1510. arabayı [n] *the car*

Yarın **arabayı** yıkayacak.

He is going to wash **the car** tomorrow.

1511. yo [interj] *no*

Yo, bu senin hatan değildi.

No, it wasn't your fault.

1512. günler [n] [pl] *days*

Yaşamımızdaki bazı **günler** bir takvimdeki resimler gibi güzeldir.

Some of the **days** in our lives are as beautiful as pictures in a calendar.

1513. süper [adj] *super*

Her kahramanın **süper** gücü yoktur.

Not every hero has **super** abilities.

1514. niçin [adv] *why*

Niçin beni takip ediyorsun?

Why are you following me?

1515. orası [n] *there*

Orası yazın bile soğuk.

It's cold **there,** even in summer.

1516. salak [adv] *idiot*

Sonunda insanların neden sana **salak** dediğini anlamaya başladım.

I finally came to realize why people keep calling you **idiot**.

1517. adama [pron] *to the man*

Bence flörtleştiğin **adama** numaranı vermelisin.
I think you should give your number **to the man** that you have been flirting with.

1518. çocuğun [n] *your kid*

Çocuğun o kadar yaramaz ki beni çılgına çeviriyor.
Your kid is so naughty that he/she is driving me crazy.

1520. davet [n] *invitation*

Kokteyl partisine **davet**i kabul etti.
She accepted the **invitation** to the cocktail party.

1521. zorundayım [v] *I have to*

Sinir bozucu kardeşimin kahrını çekmek **zorundayım**.
I **have to** put up with my annoying sister.

1522. düşünüyordum [v] *I was thinking*

Beni aradığında alışverişe çıkmayı **düşünüyordum**.
I **was thinking** of going shopping when he called me.

1523. kendime [adv] *to myself*

Kendime bunu yapamam.
I can't do this **to myself**.

1524. kalmak [v] *to stay*

Annem burada **kalmak**tan memnun.
My mom is happy **to stay** here.

1525. gelmek [v] *to come*

Hasan'ı almayı teklif ettim fakat o kendisi **gelmek** istedi.
I offered to pick Hasan up, but he wanted **to come** by himself.

1526. yaptığım [ptcp] *that I did/made*

Yaptığım en büyük hata sana inanmaktı.
The greatest mistake **that I made** was to believe you.

1527. öğrenmek [v] *to learn*

Türkçe **öğrenmek** için İstanbul'a taşındı.
He moved to İstanbul in order **to learn** Turkish.

1528. kalp [n] *heart*

Kalp atışlarım çok düşüktü.
My **heart** rate was very low.

1529. aşık [adj] *in love*

Ben ona **aşıktım** ama o beni sevmedi.
I was **in love** with her, but she didn't love me.

1530. kalın [adj] *thick*

Bu kitap o kadar **kalın** ki bitirebileceğimi sanmıyorum.
This book is so **thick** that I don't think I can finish reading it.

1531. istemedim [v] *I didn't want*

Onunla dışarı çıkmak **istemedim** çünkü bana karşı çok kabaydı.
I didn't want to go out with him because he was very mean to me.

1532. çoktan [adv] *already*

Salgın Asya'da **çoktan** başladı.
The outbreak has **already** started in Asia.

1533. arka [n] *back*

Onu **arkasından** vurmamı istedi.
She wanted me to shoot him in the **back**.

1534. Noel [n] *Christmas*

Mutlu **Noeller**!

Merry **Christmas**!

1535. iyilik [n] *favor, good*

Bana bir **iyilik** yap ve bunu ona söyleme.

Do me a **favor** and don't tell him about it.

1536. hepiniz [pron] *you all*

Hepiniz yetişkin bir adam gibi davranmayı öğrenmek zorundasınız.

You all have to learn how to behave like grown men.

1537. taraftan [adv] *from*

Askerler sol **taraftan** geliyor.

Troops are coming **from** the left side.

1538. şef [n] *chef*

Yeni bir lokantada **şef** olarak işe başladım.

I started my new job as **chef** at a new restaurant.

1539. görmek [adv] *to see*

İki FBI ajanı seni **görme**ye gelmiş.

Two FBI agents are here **to see** you.

1540. istemem [v] *I don't want*

Köpeğine dikkat et! Beni ısırmasını **istemem**.

Watch your dog! **I don't want** it to bite me.

1541. ellerini [n] *your/his/her hands*

Ellerini çok sık yıkamıyor.

He doesn't wash **his hands** so often.

1542. hoşuma [v] *to like (always used in a form of hoşuna + gitmek)*

Kocamın yıl dönümümüz için aldığı hediye çok **hoşuma gitti**.
I really **liked** the present that my husband bought for our anniversary.

1543. bul [v] *find*

Kalacak daha iyi bir yer **bul**.
Find a better place to stay.

1544. çeşit [adj] *kind of/sort of*

Yaşam süresini uzatan bir **çeşit** teknolojileri var.
They have some **sort of** technology that prolongs life.

1545. sekiz [num] *eight*

Bazı ülkelerde, insanlar **sekiz** saatten fazla çalışır.
In some countries, people work more than **eight** hours.

1546. bakayım [v] *let me look*

Yaraya **bakayım**. Acıyor mu?
Let me look at the wound. Does it hurt?

1547. herkese [adv] *to everyone*

Doğum günümü kutlayan **herkese** teşekkür ederim.
Thank you **to everyone** who celebrated my birthday.

1548. olayı [n] *the incident*

Dünkü **olayı** duydun mu?
Did you hear about **the incident** yesterday?

1549. aferin [interj] *well done*

Aferin! Seninle gurur duyuyorum.
Well done! I'm so proud of you.

1550. günün [n] *your day, of the day*

Günün nasıl geçti?

How was **your day**?

1551. verici [adj] *(used in a form of {emotion} + verici, meaning may vary depending on the word used)*

Hepimizin {utanç} **verici** anıları var.

We all have **embarrassing** stories.

Seni başka bir adamla görmek çok {acı} **verici**.

It is very **painful** to see you with another guy.

1552. hatırlıyorum [v] *I remember*

Selim ile buraya geldiğimiz zamanları **hatırlıyorum**.

I remember when Selim and I used to come here.

1553. vereceğim [v] *I will give/I am going to give*

Sahip olduğumuz her şeyi ona **vereceğim**.

I'm going to give him everything we have.

1554. konuş [v] *talk*

O çok üzgün görünüyor. Git **konuş** onunla.

She looks very sad. Go up there, **talk** to her.

1555. mavi [adj] *blue*

Mavi balinanın sesi 500 mil uzaktan duyulabilir.

The **blue** whale's sound can be heard at a distance of over 500 miles.

1556. kavga [n] *fight, fighting*

Babam her zaman **kavga**nın ilk değil, son çare olduğunu söylerdi.

My father always used to say that **fighting** is the last resort, not the first.

1557. getirdim [v] *I brought*

Aç olduğunu düşündüm ve sana yiyecek **getirdim**.

I thought you were hungry and **I brought** you some food.

1558. istiyorsunuz [v] *you (plural/formal) want (continuous)*

Ne yapmamı **istiyorsunuz**?

What do **you want** me to do?

1559. çekilin [v] *you (plural/formal) stand back (imperative)*

Geri **çekilin** yoksa vuracağım!

Stand back or I will shoot!

1560. gider [v] *he/she/it goes*

Herkes **gider**, anılar kalır.

Everyone **goes**, memories remain.

1561. telefonu [n] *phone* (accusative)

Yeni aldığın **telefonu** kırdın mı?

Did you break **the phone** you have bought recently?

1562. bira [n] *beer*

Haydi dışarı çıkıp **bira** içelim!

Let's go out and drink **beer**!

1563. şimdiye dek [adv] *by now*

Şimdiye dek sınavlarına çalışmış olman gerekirdi.

You should have been studying for your exams **by now**.

1564. birileri [pron] *someone (plural)*

Sanki **birileri** benim hakkımda konuşuyor.

I feel like **someone** is talking about me.

1565. gitmeliyim [v] *I must go*

Hava kararmadan evime **gitmeliyim**.
I must go home before it gets dark.

1566. çıkmış [v] *he/she/it has got out*

Bana haber vermeden dışarı **çıkmış**.
She has got out without noticing me.

1567. baylar [n] *gentlemen*

Baylar-bayanlar, işte karşınızda yarışmamızın birincisi!
Ladies and **gentlemen**, please welcome the winner of our contest!

1568. güven [n] *trust*

Gerçek bir ilişkide, **güven** ve saygı bir aradadır.
Trust and respect coexist in a true relationship.

1569. duymak [ptcp] *hearing, to hear*

Şehrin gürültüsünü **duymak** beni yoruyor.
Hearing the noise of the city is tiring me out.

1570. herkesi [pron] *everyone* (accusative, plural)

Herkesi kendin gibi mi sanıyorsun?
Do you think that **everyone** is like you?

1571. sigara [n] *cigarette*

Bunca yolu, bir paket **sigara** almak için mi yürüdün?
Did you walk all this way just to buy a packet of **cigarette**s?

1572. dedektif [n] *detective*

Dedektif, suçluya ilişkin henüz bir ipucu bulamadığını söyledi.
The **detective** said that he couldn't find any clues about the criminal yet.

1573. oldun [v] *You have been...*

Sen her zaman hayatımdaki en yardımsever insan **oldun**.
You have always **been** the most helpful person in my life.

1574. düşünmüştüm [v] *I have thought...*

Senin de beni sevdiğini **düşünmüştüm**.
I have thought that you loved me back.

1575. severim [v] *I like...*

Güneşli günlerde doğa yürüyüşüne çıkmayı **severim**.
I like going on a nature walk in sunny days.

1576. gidecek [v] *he/she/it will go*

Endişelenmene gerek yok, her şey yolunda **gidecek**.
No need to worry, everything *will go* right.

1577. kral [n] *king*

Monarşide hükümdara "**kral**" denir.
The ruler in a monarchy is called "**king**".

1578. aptalca [adv] *stupidly*

Bu kadar **aptalca** davranmayı ne zaman keseceksin?
When will you stop acting so **stupidly**?

1579. zengin [adv] *rich*

Yakında **zengin** olmayı planlıyorum.
I'm planning to be **rich** soon.

1580. elini [n] *hand of 2ⁿᵈ and 3ʳᵈ person* (accusative)

Karşıdan karşıya geçerken babanın **elini** tutmalısın.
You must hold your father's **hand** while crossing over the road.

1581. cehenneme [n] *hell* (dative)

Cehenneme kadar yolun var!
You can go **to hell!**

1582. olabilirim [v] *I could be...*

Senin hakkında yanılmış **olabilirim.**
I could have been wrong about you.

1583. kapat [v] *close* (imperative)

Burası çok soğuk, lütfen pencereyi **kapat.**
It's very cold here, please **close** the window.

1584. hatırladın [n] *you remembered*

Beni **hatırladın** mı?
Did you remember me?

1585. cidden [adv] *seriously*

Düzensiz uyumak sağlığımız açısından **cidden** kötüdür.
It is **seriously** bad for our health to sleep irregularly.

1586. adın [n] *your name*

Bak, katkıda bulunanlar listesinde **adın** geçiyor!
Look, **your name** is in the contributors list!

1587. saatte [adv] *at (this) hour*/time

Bu **saatte** burada ne yapıyorsun?
What are you doing here **at** this **hour?**

1588. dua [n] *prayer*

Dua, kişi ile yaratıcısı arasındaki köprüdür.
A **prayer** is the bridge between the person and the creator.

1589. gittim [v] *I went*

Geçen yaz, kafamı dinlemek için Akdeniz kıyılarına **gittim**.

Last year, **I went** to Mediterrenean shores in order to rest my head.

1590. **edeyim [v] auxiliary word used after nouns;** *let me do/make* **(optative)**

Size durumu farklı bir şekilde **ifade edeyim**.

Let me explain it in a different way.

1591. söylemiştim [v] *I have told...*

Sana bunların olacağını **söylemiştim**.

I have told you that these things would happen.

1592. isterdim [v] *I wished*

Beraber film izleyebilmek **isterdim**.

I wished that we could watch movies together.

1593. yapmayı [ptcp] *to do* (accusative)

Tüm bu hayal ettiklerini **yapmayı** ne zaman başaracaksın?

When will you be able **to do** all these things that you dream of?

1594. olman [ptcp] *that you are*

Her şeyden önemlisi, yanımda **olman**.

The most important thing is **that you are** with me.

1595. dava [n] *case, lawsuit*

Dava sonucu, hepimizi endişelendiriyor.

Case result is troubling us all.

1596. yüzbaşı [n] *captain, lieutenant*

Yüzbaşı, askerlerine, geri çekilmelerini emretti.

The captain ordered his soldiers to fall back.

1597. sıkıcı [adj] *boring*

Sıkıcı bir insanla uzun süre muhabbet edemem.

I can't have a long conversation with a **boring** person.

1598. kızgın [adj] *angry, mad*

Aptalca davrandığım için bana hala **kızgın** mısın?

Are you still **angry** at me because I acted so stupidly?

1599. çay [n] *tea*

Çay demledim, bir bardak içmek ister misin?

I prepared **tea**; would you like to drink a cup of it?

1600. kendin [pron] *yourself*

Kuralları belirlemek istiyorsan, onlara **kendin** uymak zorunda kalacaksın.

If you want to set the rules, you'll have to follow them by **yourself**.

1601. gir [v] *enter, get in*

O seni bekliyor, içeri **gir**.

She is waiting for you, **get in**.

1602. kelime [n] *word*

Onun dediğinin tek bir **kelime**sini bile anlamadım.

I didn't understand one **word** of what she had said.

1603. zeki [adj] *smart*

Tüm okuldaki en **zeki** öğrencilerden biri o.

She is one of the **smartest** students in the whole school.

1604. karanlık [n] *darkness, dark*

Işıklar söndü ve hol **karanlığa** gömüldü.

The lights went out and the hall was plunged into **darkness**.

1605. vakti [n] *it's time*

Gitme **vakti** geldi.
It's time to go.

1606. yazık [interj] *pity/alas*

Yazık! Genç kadın araba kazasında hayatını kaybetti.
Pity! The young woman died in a car accident.

1607. tanıyorum [v] *I know*

Türkçe konuşan bir adam **tanıyorum**.
I know a man who speaks Turkish.

1608. alıyorum [v] *I am getting/taking*

Bu bilgileri gizli kaynaklardan **alıyorum**.
I'm getting this information from secret sources.

1609. olacağız [v] *we will be*

Endişelenme, iyi **olacağız**.
Don't worry, **we'll be** fine.

1610. karım [n] *my wife*

Karım et yemekten nefret ediyor, bu yüzden vejetaryen.
My wife hates eating meat, that's why she is vegetarian.

1611. tebrikler [interj] *congratulations*

Tebrikler! Sınavı geçtin.
Congratulations! You passed the exam.

1612. albay [n] *colonel*

Kore Savaşı'nda süvari birliğini komuta eden **albay** kimdi?
Who was the **colonel** commanding cavalry in the Korean War?

1613. Mustafa [n] *Mustafa (masculine name)*

Mustafa bizimle gelmiyor.
Mustafa is not coming with us.

1614. başıma [adv] *at my head*

Basketbol oynarken biri topu **başıma** fırlattı.
When playing basketball, someone threw the ball **at my head**.

1615. saçmalık [n] *bullshit*

Saçmalık bu.
That is **bullshit**.

1616. koy [v] *put*

Ellerini direksiyonun üzerinde onları görebileceğim bir yere **koy**.
Put your hands on the wheel where I can see them.

1617. verdin [v] *you gave*

Bana buraya gelme cesareti **verdin**.
You gave me the courage to come over here.

1618. unut [v] *forget*

Lütfen daha önce konuştuklarımızı **unut**.
Please **forget** what we talked about earlier.

1619. kaldım [v] *I stayed*

Ayşe'ye bakmak için bir süre evde **kaldım**.
I **stayed** at home for a while to care for Ayşe.

1620. yapıyorsunuz [v] *you (plural/formal) are doing*

Burada ne **yapıyorsunuz**?
What are **you doing** here?

1621. kutsal [adj] *sacred*

Yaşam **kutsal** bir hediyedir.
Life is a **sacred** gift.

1622. yapıyoruz [v] *we are/have been doing*

Bu işi yıllardır **yapıyoruz**.
We have been doing this job for years.

1623. duyuyorum [v] *I hear/I am hearing*

Bazen rüyalarımda çığlıklar **duyuyorum**.
Sometimes **I hear** screams in my dreams.

1624. öldürdü [n] *he/she killed*

Ordudayken 10 kişiyi **öldürdü**.
He killed 10 people when he was in the army.

1625. ray [n] *rail*

Tren dağlık bir bölgede **ray**dan çıktı.
The train came off the **rails** in a mountainous area.

1626. hayatı [n] *his/her life*

Polis onun **hayatını** kurtardı.
The policeman saved **her life**.

1627. kadının [poss] *woman's*

Kadının kocası, onu uzun zaman önce terketti.
The woman's husband left her a long time ago.

1628. hikaye [n] *story*

Bu **hikaye** kulağa tuhaf gelebilir ama tamamen gerçek.
This **story** may sound strange, but it's absolutely true.

1629. geriye [adv] *backwards*

Derin nefes al ve 50′den **geriye** say.
Take a deep breath and count **backwards** from 50.

1630. söyleyeceğim [v] *I will tell*

Hazır olduğumda sana **söyleyeceğim**.
I will tell you when I am ready.

1631. birazdan [adv] *shortly*

Tren **birazdan** istasyona varacak.
The train will arrive at the station **shortly**.

1632. defol [interj] *get lost*

Yüzünü görmek istemiyorum. **Defol!**
I don't want to see your face. **Get lost!**

1633. şanslı [adj] *lucky*

Çok **şanslı** olmalı. Piyangoyu iki kere kazandı.
He must be very **lucky**. He won the lottery twice.

1634. suçlu [adj] *guilty*

Herkes onun masum olduğunu biliyordu, ama mahkeme onu
suçlu buldu.
Everyone knew that he was innocent, but the court found him
guilty.

1635. tamamdır [interj] *okay, all right*

Tamamdır, hadi gidelim.
All right, let's go.

1636. yuh [interj] *shit (curse)*

Yuh! Bu araba çok pahalı.
Shit! This car is very expensive.

1637. hoşuna [v] *to like* (used in a form of hoşuna + gitmek)

Anlattıkların onun **hoşuna git**medi.
He didn't **like** what you talked about.

1638. saygı [n] *respect*

Bana biraz **saygı** göster, ben senin babanım.
Show me some **respect**, I'm your father.

1639. yapmadım [v] *I didn't do*

Onu mutlu etmek için hiçbir şey **yapmadım**.
I didn't do anything to make her happy.

1640. edelim [aux] *let's do/perform (auxilary verb used with nouns)*

Hadi dans **edelim**.
Let's **dance**.

1641. sizden [adv] *from you; than you*

Kız kardeşiniz **sizden** daha güzel.
Your sister is more beautiful **than you**.

1642. almış [v] *he/she had taken*

Cebimdeki bütün parayı **almış**.
He had taken all the money in my pocket.

1643. hayatım [n] *my life*

Hayatımı kurtardın, sana borçluyum.
You saved **my life**, I owe you.

1644. sürece [conj] *as long as*

Beni sevdiğin **sürece** yanında olacağım.
I will stay with you **as long as** you love me.

1645. çift [n] *couple, pair*

Eş cinsel **çift**ler bazı Avrupa ülkelerinde evlenebiliyor.
Same-sex **couples** can get married in some European countries.

1646. olmak [v] *to be*

Hep diş hekimi **olmay**ı istedim.
I always wanted **to be** a dentist.

1647. çıkıp [ptcp] *walk out*

Tek başıma evden **çıkıp** gittim.
I **walked out** of the house on my own.

1648. Ahmet [n] *Ahmet (masculine name)*

Ahmet benimle gelmek istedi.
Ahmet wanted to come with me.

1649. hediye [n] *gift*

Tüm günü internette **hediye** aramakla geçirdi.
She spent whole day searching on the web for a **gift** to buy.

1650. ikinci [adj] *second*

Hayat her zaman **ikinci** bir şans vermez.
Life doesn't always give a **second** chance.

1651. kişisel [adj] *personal*

Bu hizmeti kullanmak için **kişisel** bilgilerini vermen gerekiyor.
You need to provide your **personal** information to use this service.

1652. gördüğüm [ptcp] *that I have seen*

Gördüğüm en yakışıklı erkeksin.
You are the most handsome man **that I have** ever **seen**.

1653. ikna [n] *persuasion*

Her yolu denedik. **ikna**, rüşvet, tehdit… İşe yaramadı.
We tried everything. **Persuasion**, bribery, threat… It didn't work out.

1654. yolu [n] *a way to*

Onu konuşturmanın bir **yolu**nu bulmamız gerek.
We need to find a **way to** make him talk.

1655. farkında [adj] *aware*

Annesinin hasta olduğunun **farkında** değildi.
He wasn't **aware** that his mother was sick.

1656. endişelenme [interj] *don't worry*

Endişelenme. Her şey çok güzel olacak.
Don't worry. Everything will be fine.

1657. ee [interj] *so*

Ee, yani?
So what?

1658. annesi [n] *his/her mom*

Annesi, Kadir'in Miami'ye gitmesini istiyor.
His mom wants Kadir to go to Miami.

1659. götür [v] *take*

Çok kötü hissediyorum, beni eve **götür** lütfen
I feel so bad, **take** me home please.

1660. gerekecek [v] *he/she/it will have to*

İşin yarın sabaha kadar bitmiş olması **gerekecek**.
The job **will have to** be done by tomorrow morning.

245

1661. söyleyin [v] *tell*

Bayım, lütfen bana onun nerede olduğunu **söyleyin**.
Sir, please **tell** me where he is.

1662. söyler [v] *he/she tells*

Öğretmenimiz bize her zaman iyi bir vatandaş olmamızı **söyler**.
Our teacher always **tells** us to be a good citizen.

1663. balık [n] *fish*

Balık yemek için Eminönü'ne gidelim.
Let's go to Eminönü to eat some **fish**.

1664. ilgisi [n] *his/her interest*

Bazı insanların paraya ve mücevherata hiç **ilgisi** yoktur.
Some people have no **interest** in money and jewelry at all.

1665. biliyorsunuz [v] *you know*

Ailemle sorunlar yaşadığımı **biliyorsunuz**.
You know that I'm having problems with my family.

1666. hayatın [n] *your life; of life*

Bu iş, **hayatını** değiştirebilir.
This job may change **your life**.

1667. bölüm [n] *section*

Senaryonun son **bölüm**ünü sevdin mi?
Did you like the last **section** of the script?

1668. yüce [adj] *supreme*

Yüce Divan kararını yarın açıklayacak.
The **Supreme** Court will announce their decision tomorrow.

1669. Hüseyin [n] *Hüseyin (masculine name)*

Hüseyin oyun bilgisayarı için yeni bir klavye aldı.
Hüseyin bought a new keyboard for his gaming computer.

1670. duruyor [v] *standing*

Kapı eşiğinde **duruyor**sun.
You are **standing** in the doorway.

1671. gitme [v] *don't go*

Bugün spor salonuna **gitme**, birlikte eğlenelim.
Don't go to the gym today, let's have some fun together.

1672. arabaya [n] *to the car*

Hava çok soğuktu, montumu almak için **arabaya** gittim.
It was so cold, I went **to the car** to get my jacket.

1673. güvende [adj] *safe*

Burada **güvende**sin.
You are **safe** here.

1674. verme [v] *don't give*

Bana o silahı **verme**, bunu yapmak istemiyorum.
Don't give me that gun, I don't want to do this.

1675. hanımefendi [n] *ma'am, lady*

Üzgünüm **hanımefendi**. Şu an çok meşgulüm.
I'm sorry **ma'am**. I am very busy right now.

1676. seksi [adv] *sexy*

Uzun saçla **seksi** görünüyor.
She looks **sexy** with long hair.

1677. kalmadı [v] *no left*

Zaman **kalmadı**.

There is **no** time **left**.

1678. iyidir [adv] *it's good*

O iyi diyorsa, **iyidir**.

If she says it's good, then **it's good**.

1679. gideceğim [v] *I will/am going to go*

Kalbimi kırarsan **gideceğim** ve asla geri dönmeyeceğim.

If you break my heart, **I will go** away and never come back.

1680. Zeynep [n] *Zeynep (feminine name)*

Zeynep kilo vermeye çalışıyor.

Zeynep is trying to lose weight.

1681. maks [adj] *maximum (abbreviation of "maksimum")*

Ali **maksimum** güvenlikli bir tesiste ömür boyu hapis cezasını çekiyordu.

Ali was serving a life sentence in a **maximum**-security facility.

1682. döndü [v] *he/she/it came back*

Savaş bittikten sonra eve **döndü**.

He **came back** home after the war finished.

1683. park [n] *park*

Park, şehir merkezinde yer alıyor.

The **park** is located in the center of the city.

1684. erkekler [n] *men, males*

Bazı kültürlerde, **erkekler** kadınların onlarla eşit olmadığını düşünür.

In some cultures, **men** think that women are not equal to them.

1685. kalacak [adj] *to stay*

Kalacak otel bulamadık.

We couldn't find a hotel **to stay** in.

1686. tehdit [n] *threat*

Duruşma süresince bir sürü ölüm **tehdid**ine maruz kaldık.

We were exposed to a lot of death **threats** at the time of the trial.

1687. olduğumuzu [ptcp] *that we are*

Birlikte daha güçlü **olduğumuzu** unutma.

Don't forget **that we are** stronger together.

1688. Yusuf [n] *Yusuf (masculine name)*

Yusuf kuzeninin evine gitti.

Yusuf went to his cousin's home.

1689. arıyor [v] *calling; looking for*

Telefonu aç, seni **arıyor**um.

Pick up the phone, I'm **calling** you.

1690. korkarım [adv] *I'm afraid*

Korkarım başka seçeneğimiz yok.

I'm afraid we have no other choice.

1691. buralarda [adv] *hereabouts*

Buralarda çok fazla vahşi kedi var.

There are many wild cats **hereabouts**.

1692. çalıştım [v] *I worked*

Üniversitedeyken garson olarak **çalıştım**.

I worked as a waiter when I was in college.

1693. ayak [n] *foot*

Ayağında küçük bir dövme var.
She has a small tattoo on her **foot**.

1694. kirli [adj] *dirty*

Kirli çamaşırlarını temizletmek istiyorsan bana haber ver.
Let me know if you want to get your **dirty** clothes cleaned.

1695. yardıma [n] *to/for help*

Kazanın hemen ardından ona **yardıma** koştuk.
We rushed **to help** him right after the accident.

1696. gitmiş [v] *he/she went*

Pazar sabahı kiliseye **gitmiş**.
She went to the church on Sunday morning.

1697. verecek [v] *he/she will give*

Tüm parasını bana **verecek**.
He will give me all his money.

1698. sesi [n] *voice of*

Halkın **sesi** göz ardı edilemez.
The **voice of** the people shall not be ignored.

1699. yaşamak [v] *to live*

Kuzenleriyle **yaşamak** için küçük bir kasabaya taşındı.
He moved to a small town **to live** with his cousins.

1700. yoldan [adv] *off the road*

Araba **yoldan** çıkıp dereye düştü.
The car went **off the road** into the creek.

1701. çıkmak [v] *to get out, to exit*

Buradan **çıkmak** istiyorsak bir planımız olmalı.
We need to have a plan if we want **to get out** of here.

1702. insan [n] *human*

İnsan hakları üzerine kısa bir tartışmamız oldu.
We had a brief discussion about *human* rights.

1703. hoşça kal [inter] *goodbye*

Hoşça kal dostum!
Goodbye my friend!

1704. polisi [n] *the police*

İçeride birisi var, **polisi** ara!
There is someone inside, call **the police**!

1705. okula [adv] *to school*

Fatih'in annesi onu **okula** bıraktı.
Fatih's mother brought him **to school**.

1706. yiyecek [n] *food*

Kebap, Türkiye'nin en popüler **yiyecek**lerinden biridir.
Kebab is one of the most popular **foods** in Turkey.

1707. inanılmaz [adj] *incredible*

Hayat **inanılmaz**.
Life is **incredible**.

1708. arıyorum [v] *I'm looking for/calling*

Beni sonsuza kadar sevecek bir kadın **arıyorum**.
I'm **looking for** a woman to love me forever.

1709. alacak [v] *will take*

Bu iş çok vakit **alacak**.

This job **will take** so much time.

1710. kulak [n] *ear*

Sevdiğimiz kişilerin sesini duyduğumuzda **kulak**larımız bunu hisseder.

Our **ears** sense it when we hear the voices of dear ones.

1711. mantıklı [adj] *sensible*

O çok **mantıklı** biri. Bu yüzden birbirimizle asla tartışmayız.

He is a very **sensible** guy. That's why we never argue with each other.

1712. şuraya [adv] *right there*

Şuraya başka bir kutu koyun.

Put another box **right there**.

1713. kafa [n] *head*

Milli sporcumuz **kafa**sını çarptı ve hafızasını kaybetti.

Our national athlete hit his **head** and lost his memory.

1714. bilmiyorsun [v] *you don't know*

Onun adını **bilmiyorsun**, değil mi?

You don't know his name, do you?

1715. Murat [n] *Murat* (masculine name)

Murat müdürlüğe terfi etti.

Murat was promoted to manager.

1716. bildiğim [ptcp] *that I know*

Bu hayvan, **bildiğim** diğer tüm hayvanlardan daha farklı.

This animal is different than all other animals **that I know**.

1717. ayağa [adv] *up*

Kral, adamlarına **ayağa** kalkmalarını emretti.
The king has commanded his men to stand **up**.

1718. etmez [aux] *he/she doesn't do/perform* (auxilary verb used with nouns)

Onu tanıdığım kadarıyla fakirlere yardım **etmez**.
As far as I know him, **he doesn't** help the poor.

1719. önceden [adv] *before*

Bu sesi **önceden** duymuştum.
I have heard that voice **before**.

1720. Ömer [n] *Ömer* (masculine name)

Ailemizde interneti en çok **Ömer** kullanıyor.
Ömer uses the internet most in our family.

1721. olurum [v] *I would be*

Bize katılırsan mutlu **olurum**.
I would be happy if you join us.

1722. tarafta [adv] *at the side*

Lokantamız kasabanın diğer **tarafında** bulunuyor.
Our restaurant is located **at the** other **side** of the town.

1723. kadını [n] *the woman*

Kadını sokakta gördüm.
I saw **the woman** on the street.

1724. muydu [interr] *was/did*

Ailen yalan söylediğini biliyor **muydu**?
Did your family know that you were lying?

1725. dene [v] *try*

Aldığın elbiseyi **dene**.
Try on the dress you just bought.

1726. Teğmen [n] *lieutenant*

Teğmen Yılmaz, olay yerine bir ekip gönderdi.
Lieutenant Yılmaz sent a team to the crime scene.

1727. Berat [n] *Berat* (masculine name)

Berat dün işe geç kaldı.
Berat was late for work yesterday.

1728. yaptık [v] *we did*

Sınıf arkadaşlarımızla birlikte ödevimizi **yaptık**.
We did our homework with our classmates.

1729. nesi [pron] *what*

Kızın **nesi** var?
What's wrong with the girl?

1730. geldiğinde [adv] *when you/he/she/it come*

Geri **geldiğinde** onu bekliyor olacaklar.
They will be waiting for him **when he comes** back.

1731. ikiniz [pron] *you two*

Siz **ikiniz** sıraya geçin!
You two get in the line!

1732. istersin [v] *you would want*

Bu lezzetli yemeği tadarsan eminim daha fazlasını yemek **istersin**.
If you try this delicious food, I am sure **you would want** to eat more.

1733. zorundasın [v] *you have to*

Sınavı geçmek istiyorsan çok çalışmak **zorundasın**.
If you want to pass the exam, **you have to** work hard.

1734. Kerem [n] *Kerem (masculine name)*

Benim en iyi arkadaşlarımdan biri **Kerem**.
Kerem is one of my best friends.

1735. zamanlarda [adv] *at times*

Böyle zor **zamanlarda** birbirimize destek olmalıyız.
We should support each other **at** such hard **times**.

1736. istediğimi [ptcp] *that I want*

Onun mutlu olmasını **istediğimi** söyledim.
I told her **that I want** her to be happy.

1737. gördünüz [v] *you saw*

Katilin kim olduğunu biliyorsunuz. Onu **gördünüz**.
You know who the murderer is. **You saw** him.

1738. şanslar [n] *luck*

İyi **şanslar**!
Good **luck**!

1739. açın [v] *open*

Lütfen kapıyı **açın**, anahtarlarım yok.
Please **open** the door, I don't have keys.

1740. test [n] *test*

Seni işe almadan önce **test** yapmamız gerek.
We need to do a **test** before hiring you for the job.

1741. eee [interj] *so*

Eee, sonra ne oldu?
So, what happened?

1742. yaramaz [adj] *naughty*

Yaramaz bir çocuk olduğum için annem bana bağırırdı.
My mom used to yell at me because I was a naughty kid.

1743. değil [adv] *not*

Yalnız değil.
He is not alone.

1744. korumak [v] *to protect*

Seni ve ailemi korumak için buradayım.
I am here to protect you and my family.

1745. müthiş [adj] *great*

Müthiş bir öğretmendi.
She was a great teacher.

1746. Emir [n] *Emir* (masculine name)

Emir az önce baba olacağını öğrendi.
Emir just found out that he is going to be a father.

1747. ciddiyim [interj] *I'm serious*

Ciddiyim, şaka yapmıyorum.
I'm serious, I'm not kidding.

1748. buydu [v] *that was*

Bana inanmasını sağlamanın tek yolu buydu.
That was the only way to make him believe me.

1749. dünyayı [n] *the world*

Birlikte **dünyayı** dolaştık.
We traveled around **the world** together.

1750. kaza [n] *accident*

Polisler **kaza** mahallinde bir kadın cesedi buldular.
Cops found a woman's body at the scene of the **accident**.

1751. yapabilirsin [v] *you can do*

Vazgeçme, **yapabilirsin**.
Don't give up, **you can do** it.

1752. istediği [ptcp] *that he/she wanted*

Sonunda **istediği** elbiseyi aldı.
She finally bought the dress **that she wanted**.

1753. olanlar [n] *what happened*

Dün gece **olanları** anlamaya çalışıyoruz.
We are trying to figure out **what happened** last night.

1754. yapman [n] *you to do*

Böyle bir şey **yapmanı** istemiyorum.
I don't want **you to do** such a thing.

1755. yolda [adv] *on the road*

Yolda geyikler görebilirsin.
You are likely to see deer **on the road**.

1756. Elif [n] *Elif* **(feminine name)**

Elif boşanmak istiyor.
Elif wants a divorce.

1757. sıradan [adj] *ordinary*

Sıradan insanlar silah kullanmayı bilmezler.
Ordinary people don't know how to use guns.

1758. yanımda [adv] *next to me*; *with me*

Cüzdanım yanımda değil.
I don't have my wallet with me.

1759. vur [v] *hit*

Hadi dövüşelim ama sert vur, tamam mı?
Let's spar but hit hard, okay?

1760. babanın [poss] *your father's*

Babanın yeni eşinin ismi ne?
What's the name of your father's new wife?

1761. Paris [n] *Paris*

Balayı için Paris'e gittiler.
They went to Paris for the honeymoon.

1762. yoluna [adv] *the way*

Burası çıkış yoluna benzemiyor.
This doesn't look like the way out.

1763. asker [n] *soldier*

Her Türk asker doğar.
Every Turk is born a soldier.

1764. yerden [adv] *off the floor*

Babam kırık bardağı yerden aldı.
My father took the broken glass off the floor.

1765. sahi [adv] *really*

Sahi mi?
Really?

1766. affedersiniz [interj] *excuse me*

Affedersiniz, Taksim'e nasıl gidebilirim?
Excuse me, how can I go to Taksim?

1767. parmak [n] *finger*

Kazada parmaklarını kaybetti.
He lost his fingers in the accident.

1768. aradı [v] *he/she called*

Dün gece beni aradı ve gelmemi istedi.
She called me last night and asked me to come over.

1769. plan [n] *plan*

B planını uygulamak istemiyorsan iyi bir A planın olmalı.
If you don't want to go to plan B you should have a good plan A.

1770. nerede [adv] *where*

Çantam nerede?
Where is my purse?

1771. gibiydi [postp] *was like*

O geceyi unutmak istiyorum, kabus gibiydi.
I want to forget that night, it was like nightmare.

1772. gösteriyor [v] *shows*

Kanıtlar suçun önceden planlandığını gösteriyor.
The evidence shows that the crime was premeditated.

1773. evin [n] *of the house*

Tüm gece **evin** etrafında dolanan bir adam gördüm.
I saw a man wandering around **the house** all night.

1774. kalsın [v] *keep; stay*

Çakmağa ihtiyacım yok, sende **kalsın**.
I don't need the lighter, **keep** it.

1775. neredesin/(often uttered as "nerdesin") [adv] *where are you*

Hala seni bekliyorum, **neredesin?**
I'm still waiting for you; where are you?

1776. şarap [n] *wine*

Sağlığa yararlı diye, her gün iki şişe **şarap** mı içmen gerektiğini düşünüyorsun?
Do you think you have to drink two bottles of **wine** just because it's healthy?

1777. düzgün [adj] *proper, smooth*

Doğru, **düzgün** bir iş bulup çalışman gerek.
You need to find a right and **proper** job and work.

1778. peder [n] *father or dad*

Benim **peder**le buraya balık tutmaya gelirdik.
My dad and I used to come here for fishing.

1779. edersin [aux] *you do/perform* (auxilary verb used with nouns)

Ne sıklıkla {seyahat} **edersin?**
How often do you **travel?**

1780. adamla [adv] *with man*

Adamla ne konuştun?
What did you talk about **with the man**?

1781. sarhoş [adv] *drunk*

Barmen çok **sarhoş** olduğunu söyledi.
Bartender told me that he is very **drunk**.

1782. veririm [v] *I would give*

Senin için canımı **veririm**.
I would give my life for you.

1783. muydun [inter] *were you*

Seni aradığımda uyuyor **muydun**?
Were you sleeping when I called you?

1784. gerekirse [adv] *if needed*

Gerekirse yeniden orduya katılabilirim.
I can join the army again **if needed**.

1785. gemi [n] *ship*

Gemi bugün geliyor.
The **ship** arrives today.

1786. buradasın [v] *you are here*

Ah, **buradasın**! Seni arıyordum.
Oh, **you are here**! I was looking for you.

1787. önemi [n] *the importance of*

"Ciddi Olmanın **Önemi**" kitabını okudun mu?
Have you read "**The Importance of** Being Earnest"?

1788. hayvan [n] *animal*

Nesli tükenen **hayvan**ları korumalıyız.
We need to save extinct **animals**.

1789. metre [n] *meter*

Mağaza 400 **metre** uzakta.
The shop is 400 **meters** away.

1790. kat [n] *floor*

Bina 30 **kat**lı.
The building has 30 **floors**.

1791. sevdim [v] *I liked*

Tarzını **sevdim**.
I liked your style.

1792. gelmiyor [v] *not coming*

Bu geceki partiye o **gelmiyor**.
She is **not coming** to party tonight.

1793. çavuş [n] *sergeant*

John, ABD silahlı kuvvetlerinde **çavuş** olarak görev yapıyordu.
John was serving as a **sergeant** in the US armed forces.

1794. hani [adv] *where?*

Hani benim hediyem?
Where is my present?

1795. orada [adv] *there*

Orda kimse var mı?
Is anyone **there**?

1796. sorunun [n] *your problem*

Sorununu ailenle paylaşmalısın.
You should share **your problem** with your family.

1797. iğrenç [adv] *disgusting*

Bu yemek **iğrenç** görünüyor.
This dish looks **disgusting**.

1798. sahte [adj] *fake*

Uzun zamandır **sahte** bir kimlik kullanıyor.
He's been using a **fake** identity for a long time.

1799. baştan [adv] *from the beginning*

Anlamadım, bütün hikayeyi **baştan** anlat.
I didn't get that, tell me the whole story **from the beginning**.

1800. istiyorlar [v] *they want*

Çocuklar onlarla oynamamı **istiyorlar**.
The children **want** me to play with them.

1801. gözlerin [n] *your eyes*

Müzik dinlerken **gözlerini** kapat.
Close **your eyes** when you listen to music.

1802. olabilirsin [v] *you can/may*

Çok çalışırsan başarılı **olabilirsin**.
You can be successful if you work hard.

1803. sürpriz [n] *surprise*

Ona doğum gününde **sürpriz** yapmak için pasta hazırladım.
In order to give him a **surprise** on his birthday I prepared a cake.

1804. yarısı [adj] *half*

Hayatımın **yarısını** onu arayarak geçirdim.
I have spent **half** of my life looking for him.

1805. bomba [n] *bomb*

Asker kabloyu kesti ve **bombayı** etkisiz hale getirdi.
The soldier cut the wire and defused the **bomb**.

1806. öldürmek [n] *to kill*

Beni **öldürmeye** mi çalışıyorsun?
Are you trying **to kill** me?

1807. sanmıştım [v] *I thought*

Beni sevdiğini **sanmıştım**.
I thought you loved me.

1808. muyum [interr] *am I/do I*

Seni tanıyor **muyum**?
Do I know you?

1809. arkasında [postp] *behind*

Duvarın **arkasında** bir kutu var.
There is a box **behind** the wall.

1810. çıkıyor [v] *he/she is getting out*

Suçlu hapisten **çıkıyor**.
The criminal is **getting out** of the jail.

1811. gitmeliyiz [v] *we should/must go*

Karanlık oluyor, **gitmeliyiz**.
It is getting dark here, **we should go**.

1812. sever [v] *likes*

Ayşe kitap okumayı **sever**.
Ayşe **likes** reading.

1813. olmam [v] *I don't (be)*

Umarım bunu yaptığıma pişman **olmam**.
I hope **I don't** regret doing that.

1814. san [n] *title or fame*

Adı **sanı** duyulmamış bir üniversiteye gittim.
I attended a university which wasn't of any **fame**.

1815. olduğunda [adv] *when*

Karanlık **olduğunda** birçok hayvan keskin duyularını kullanır.
When the dark comes, most animals use their acute senses.

1816. söylemişti [v] *had said*

Annem bunun olacağını **söylemişti**.
My mom **had said** that would happen.

1817. güzeldi [v] *was nice*

Sizinle tanışmak **güzeldi**.
It **was nice** to meet you.

1818. Muhammet [n] *Muhammet* (masculine name)

Muhammet iş bulmak için Fransa'ya gitti.
Muhammet went to France to find a job.

1819. başlıyor [v] *starting*

Film **başlıyor**.
The movie is **starting**.

1820. edebilirim [v] *I can (make)*

İstersen sana yardım **edebilirim**.
I can help you if you like.

1821. olduğunuzu [ptcp] *that you are*

Üzgün **olduğunuzu** biliyorum.
I know **that you are** sad.

1822. inanıyorum [v] *I believe*

Senin yalan söylediğini söylüyorlar, ama ben sana **inanıyorum**.
They say you are lying but **I believe** in you.

1823. annemin [n] *my mom*

Annemin arabası var.
My mom has a car.

1824. arıyorsun [v] *you are looking for*

Ne **arıyorsun**?
What are **you looking for**?

1825. bazıları [pron] *some*

Bazı insanlar doğuştan zekidir, **bazıları** doğuştan güzel.
Some people are born clever, **some** are born beautiful.

1826. konuşuyor [v] *is talking/talks*

O hep evlilik hakkında **konuşuyor**.
He always **talks** about marriage.

1827. kalmış [adv] *stayed*

Tüm gece dışarıda **kalmış** gibi görünüyorsun.
You look like you **stayed** out all night.

1828. piç [n] *bastard*

O bir yetimhanede büyüdü, arkadaşları ona hakaret eder ve ona **piç** olduğunu söylerlerdi.
He grew up in an orphanage; his friends used to insult him and told him he was a **bastard**.

1829. başladım [v] *I started*

Ünlüleri Twitter'dan takip etmeye **başladım**.
I started to follow celebrities on Twitter.

1830. konuşabilir [v] *he/she can speak*

O Türkçeyi çok iyi **konuşabilir**.
She **can speak** Turkish very well.

1831. oturup [ptcp] *sitting*

Burada **oturup** yeni kitabımı yazdığımı hatırlıyorum.
I remember **sitting** there and writing my new book.

1832. koş [v] *run*

Otobüsü kaçırıyorsun! **Koş!**
You are missing the bus! **Run!**

1833. etmek [aux] *to do* (auxilary verb used with nouns)

Arabaları **tamir etme**yi seviyorum.
I like **to repair** cars.

1834. gelen [n] *comer*

Geç **gelen**lerin içeriye girmesine izin vermeyin.
Don't let **latecomers** get in.

1835. ikimiz [pron] *we both*

İkimiz de köpekleri seviyoruz.
We both love dogs.

1836. elimizde [adv] *in our hands*

Her şey bizim **elimizde**.
Everything is **in our hands**.

1837. uçak [n] *plane*

Uçakta küçük bir çocuk vardı.
There was a small kid on the **plane**.

1838. getirin [v] *bring*

Onu buraya **getirin**!
Bring him over here!

1839. tutun [v] *hold on*

Ağaca tırman ve sıkı **tutun**.
Climb the tree and **hold on** tight.

1840. uyan [v] *wake up*

Sabah oldu, **uyan**.
It's morning, **wake up**.

1841. şeker [n] *candy*

Şeker, dişleri çürütür.
Candy rots the teeth.

1842. nasıl [adv] *how*

Günün **nasıl** geçti?
How was your day?

1843. miydin [interr] *had/were you*

Kavga başladığında içkili **miydin**?
Were you drunk when the fight began?

1844. rica [n] *request; you're welcome*

Bir **rica**m olacak.
I have a **request**.

1845. evli [adj] *married*

2009'dan beri **evli**yiz.
We have been **married** since 2009.

1846. yeşil [adj] *green*

Yeşil kabloyu kes ve düğmeye bas.
Cut the **green** wire and press the button.

1847. genelde [adv] *usually*

Hafta sonu **genelde** geç kalkarım.
I **usually** get up late at the weekend.

1848. alırım [v] *I take/get*

Her sabah duş **alırım**.
I **take** a shower every morning.

1849. öylece [adv] *just*

Öylece gidiyor musun?
You are **just** leaving, like that?

1850. adamları [n] *the men*

Polis bana saldıran **adamları** görüp görmediğimi sordu.
The police asked me if I saw **the men** who attacked me.

1851. anlamadım [v] *I didn't understand*

Ne söylediğini **anlamadım**. Tekrar eder misin?
I didn't understand what you just said. Can you repeat it?

1852. bayağı [adv] *banal*

O, Türk şiirini sıkıcı ve **bayağı** buluyor.
He finds Turkish poetry boring and **banal**.

1853. üzgün [adj] **sad**

Hakan kız arkadaşından ayrıldığı için çok **üzgün**.
Hakan is very **sad** because he separated from his girlfriend.

1854. buz [n] *ice*

İçkin için biraz daha **buz** ister misin?
Do you want some more **ice** for your drink?

1855. bekliyorum [v] *I'm waiting*

Burada birini **bekliyorum**.
I'm waiting for someone here.

1856. elimde [adv] *in my hand*

Evden çıktığımda anahtarlar **elimde**ydi.
I had the keys **in my hand** when I left home.

1857. İsa [n] *Jesus*

İsa'nın adına dua etmeliyiz.
We must pray in the name of **Jesus**.

1858. olanı [n] *the one*

Mavi **olanı** bana uzatır mısın?
Can you pass me **the** blue **one**?

1859. arama [n] *search*

Polisin onun evini **arama** izni yoktu.
The police didn't have a **search** warrant on his house.

1860. zorundayız [v] *we have to*

İklim değişikliğini durdurmanın yollarını bulmak **zorundayız**.
We have to find the ways to stop climate change.

1861. daima [adv] *always*

Seni **daima** seveceğim.
I will **always** love you.

1862. teki [n] *a/an*

Adamın **teki** sokakta yanıma yaklaştı.
A man approached me on the street.

1863. çalış [v] *work*

Başarılı olmak istiyorsan çok **çalış**.
Work hard if you want to be successful.

1864. konuyu [n] *the topic*

Konuyu değiştirebilir miyiz lütfen?
Can we change **the topic**, please?

1865. ararım [v] *I call*

Her sabah annemi **ararım**.
I call my mom every morning.

1866. yatak [n] *bed*

Soğuk günlerde **yatak**tan çıkmayı sevmiyorum.
I don't like getting out of **bed** on cold days.

1867. buldu [v] *he/she/it found*

Mahkeme çete üyelerini suçlu **buldu**.
The court **found** gang members guilty.

1868. şimdilik [adv] *for now*

Şimdilik hoşça kal.
Goodbye **for now**.

1869. özgür [adj] *free*

Özgür bir basın, demokrasi için gereklidir.
A **free** press is essential for democracy.

1870. hapse [n] *to jail*

Kardeşini kurtarmak için **hapse** girmek istiyor.
He wants to go **to jail** to save his brother.

1871. aramızda [adv] *among us, between us*

Aramızda en güçlüsü sensin.
You are the strongest **among us**.

1872. akıllı [adj] *smart*

Sandığım kadar **akıllı** değilsin.
You are not as **smart** as I thought.

1873. olsam [adv] *if I were*

Zengin **olsam** Ferrari alırdım.
If I were rich, I would buy a Ferrari.

1874. rüya [n] *dream*

Dün gece garip bir **rüya** gördüm.
I had a strange **dream** last night.

1875. olduklarını [ptcp] *that they are*

Onların iyi insanlar **olduklarını** düşünebilirsin fakat aslında
ikiyüzlüler.
You might think **that they are** good people, but they are actually
hypocrites.

1876. akşamlar [n] *evening*

İyi **akşamlar**!
Good **evening**!

1877. girdi [n] *entered*

Türkiye 1914'te resmen savaşa **girdi**.
Turkey formally **entered** the war in 1914.

1878. gelmedi [v] *didn't come*

Babam dün gece eve **gelmedi**.
My father **didn't come** home last night.

1879. yazıyor [v] *typing*

O bir rapor **yazıyor**.
He is **typing** a report.

1880. profesör [n] *professor*

Üniversitemin **profesör**lerinden biri, tezimi bitirmemde bana yardımcı oldu.
One of the **professors** of my university helped me to finish my dissertation.

1881. hamile [adj] *pregnant*

Sigara içmek **hamile** kalma şansını azaltır.
Smoking reduces the chance of getting **pregnant**.

1882. geçiyor [v] *passes/passing*

Zaman çok çabuk **geçiyor**.
Time **passes** quickly.

1883. giriş [n] *entrance*

Giriş ücreti çok pahalıydı, bu yüzden başka yere gitmeye karar verdik.

The **entrance** fee was expensive, so we decided to go somewhere else.

1884. İbrahim [n] *İbrahim* (masculine name)

İbrahim yeni evine taşındı.
İbrahim moved into his new house.

1885. etmeyin [aux] *don't* (auxilary verb used with nouns)

Beyler, lütfen **kavga etmeyin!**
Guys, please **don't fight!**

1886. havaya [adv] *into the air*

Polisler **havaya** ateş açtı.
The cops fired their guns **into the air.**

1887. kaybettim [v] *I lost*

Valizimi hava alanında **kaybettim.**
I lost my luggage at the airport.

1888. diğerleri [pron] *others*

Bazı projeler **diğerleri**nden daha kısadır.
Some projects are shorter than **others.**

1889. korkuyorum [v] *I'm scared*

Korku filmleri yüzünden palyaçolardan **korkuyorum.**
I am scared of clowns because of horror movies.

1890. kadarıyla [postp] *as far as*

Bildiğim **kadarıyla** 30 yıldır Türkiye'de yaşıyor.
As far as I know, she has been living in Turkey for 30 years.

1891. değildim [v] *I wasn't*

Fotoğrafımın çekildiğinin farkında **değildim**.
I wasn't aware that I was being photographed.

1892. kaldır [v] *remove* or *lift*

Kutuyu **kaldır**amadım; çok ağırdı.
I couldn't **lift** the box; it was too heavy.

1893. Hüseyin [n] *Hüseyin* (masculine name)

Yarın **Hüseyin** geliyor.
Hüseyin is coming tomorrow.

1894. gittiğini [ptcp] *have/had gone/went* or *going*

Onun nereye **gittiğini** biliyor musun?
Do you know where she is **going**?
Anneannenin evine **gittiğini** düşünmüştüm.
I thought you **had gone** to your grandma's house.

1895. zayıf [adv] *thin* or *weak*

Hasta mısın? Çok solgun ve **zayıf** görünüyorsun.
Are you sick? You look so pale and **thin**.

1896. kafa [n] *head*

O kadar aptalca davranıyor ki **kafa**yı yemiş olmalı.
She acts so stupidly that she must have rocks in her **head**.

1897. söylediler [v] *they said*

Yetkililer bunun tarihteki en büyük deprem olduğunu **söylediler**.
Authorities said it was the largest earthquake in history.

1898. derhal [adv] *immediately*

Derhal önlem almalıyız.
We must take precautions **immediately**.

1899. söyleyecek [v] *will tell*

Sana gerçeği **söyleyecek**.
He **will tell** you the truth.

1900. evinde [adv] *in his/her home*

Zavallı adam bu sabah **evinde** ölü bulunmuş.
The poor man was found dead **in his home** this morning.

1901. hiçbir şey [pron] *nothing*

Hiçbir şey imkansız değildir.
Nothing is impossible.

1902. mesele [n] *problem, issue*

İşsizlik bugünün dünyasında en önemli **mesele**lerinden biridir.
Unemployment is one of the top **issues** in today's world.

1903. alayım [v] *I will have/let me take*

Ben bir Türk kahvesi **alayım** lütfen.
I will have a cup of Turkish coffee, please.

1904. avukat [n] *lawyer*

Avukatıma güvenmiyorum.
I don't trust my **lawyer**.

1905. hazırım [v] *I'm ready*

Her şeye yeniden başlamaya **hazırım**.
I'm ready to start all over again.

1906. sandım [v] *I thought*

Şaka yaptığını **sandım**.
I thought you were joking.

1907. anlama [v] *don't get*

Beni yanlış **anlama** lütfen.
Don't get me wrong please.

1908. oğlu [n] *his/her son*

Onun **oğlu** başarılı bir işadamı.
His son is a successful businessman.

1909. konuşmak [n] *to talk*

Benimle böyle **konuşma**ya hakkın yok.
You have no right **to talk** to me like that.

1910. ailesi [n] *his/her family*

Ayşe'nin **ailesi** Kanada'da yaşıyor.
Ayşe's family live in Canada.

1911. aldık [v] *we got*

İhtiyacımız olan her şeyi **aldık**.
We got everything we need.

1912. ailem [n] *my family*

Ailem benim doktor olmamı istiyor.
My family wants me to be a doctor.

1913. sonuna [adv] *to the end*

Çocuklar yolun **sonuna** kadar koştu.
Children ran **to the end** of the road.

1914. imkansız [adj] *impossible*

Bu dağa tırmanmak **imkansız**.
It is **impossible** to climb this mountain.

1915. yemeğe [n] *to dinner/lunch*

Erkek arkadaşımın ailesi beni **yemeğe** çağırdı.
My boyfriend's family invited me to the **dinner**.

1916. şerif [n] *sheriff*

Şerif, bugün bize uğrayacağını söyledi.
Sheriff told me that he is going to visit us today.

1917. şurada [adv] *over there*

Şurada oturan adamı görüyor musun?
Do you see that man sitting **over there**?

1918. aklıma [adv] *to my mind*

Üniversite anılarım **aklıma** geliyor.
My college memories come **to my mind**.

1919. söylemem [v] *I won't tell*

Yemin ederim, sırrını kimseye **söylemem**.
I promise, **I won't tell** your secret to anyone.

1920. dokuz [num] *nine*

Kardeşini görmeyeli **dokuz** sene olmuştu.
It had been **nine** years since she had seen her brother.

1921. New York [n] *New York*

Amerikan Edebiyatı okumak için **New York**'a gitti.
He went to **New York** to study American Literature.

1922. kurtarmak [v] *to save*

Dünyayı yalnızca sevgi **kurtar**abilir.
Only love can **save** the world.

1923. ölmek [v] *to die*

Ali'nin eceliyle **öldüğünü** sanmıyorum.
I don't believe Ali **died** a natural death.

1924. bunlardan [n] *of these*

Kitapta birçok Türkçe kelime var, **bunlardan** bazılarını anlamak kolay.
There are lots of words in Turkish in the book; some **of these** are easy to understand.

1925. düştü [v] *fell*

Ağaçtan bir elma **düştü**.
An apple **fell** off the tree.

1926. iyiydi [v] *good*

Bu **iyiydi**.
That's a **good** one.

1927. Murat [n] *Murat* (masculine name)

Murat okulumuzdaki en tatlı çocuk.
Murat is the cutest guy in our school.

1928. zamana [adv] *(until/to) time*

Bu **zamana** kadar bu ilişki için elimden geleni yaptım.
I have done my best for this relationship until this **time**.

1929. Merve [n] *Merve* (feminine name)

Merve Twitch'te yayın yapmaya başladı.
Merve started streaming on Twitch.

1930. Mert [n] *Mert* (masculine name)

Mert babasından nefret ediyor.
Mert hates his father.

279

1931. demiştim [v] *I told*

Sana bu plan işlemez **demiştim**.
I told you that this plan wouldn't work out.

1932. odasında [adv] *in his/her room*

Ailesi partiye gitmesine izin vermediği için **odasında** ağlıyor.
She is crying **in her room** because her parents won't let her go to the party.

1933. silahını [n] *his/her gun*

Hırsız, yaşlı adama **silahını** doğrulttu.
The thief pointed **his gun** at the old man.

1934. dönmek [v] *to turn*

Tekerlekler **dönme**ye başladı.
The wheels started **to turn**.

1935. beyin [n] *brain*

Futbolcuda çarpışma sonrası **beyin** hasarı oluştu.
The soccer player suffered **brain** damage after a collision.

1936 iptal [v] *cancel*

Şirket toplantıyı **iptal** etti.
The company **cancelled** the meeting.

1937. kime [pron] *to whom*

Bu hediyeyi kime **vereceksin**?
To whom are you giving that present?

1938. çekici [adv] *attractive*

İnsanlar beni **çekici** bulmazlar.
People don't find me **attractive**.

1939. şeytan [n] *devil*

Bana kötü şeyler yaptırdı, **şeytan** gibi o.
She made me do terrible things, she is like a **devil**.

1940. çalışmak [v] *to work*

Sanayi Devrimi'nde çocuklar tehlikeli koşullar altında **çalışmak** zorunda kaldı.
Children had to **work** under dangerous conditions during the Industrial Revolution.

1941. etrafta [adv] *around*

Etrafta kimse yok.
There is no one **around**.

1942. Majesteleri [n] *majesty*

Majesteleri, size saygısızlık etmek istememiştim, lütfen beni bağışlayın!
Your Majesty, I didn't mean to disrespect you, please forgive me!

1943. sayılmaz [v] *doesn't count*

Senin oyun **sayılmaz**.
Your vote **doesn't count**.

1944. cep [n] *pocket*

Mehmet mektubu aldı ve **ceb**ine koydu.
Mehmet took the letter and put it in his **pocket**.

1945. işin [n] *your work/job*

Yeni **işin**den memnun musun?
Are you happy with **your** new **job**?

1946. Can [n] *Can* (masculine name)

Can işten atıldı.

Can got fired from his job.

1947. konuştum [v] *I talked*

Avukatımla telefonda **konuştum**.

I talked to my lawyer on the phone.

1948. aradım [v] *I called*

Ofisi defalarca **aradım**.

I called the office several times.

1949. Büşra [n] *Büşra* (feminine name)

Keşke **Büşra** partiye gelebilseydi.

If only **Büşra** had been able to come to the party.

1950. numaralı [adj] *number*

Yarışı 4 **numaralı** at kazandı.

The **number** 4 horse won the race.

1951. fazlası [n] *more*

Hakettiğimden daha **fazlasını** asla istemedim.

I have never wanted **more** than I deserve.

1952. tanrının [poss] *God's*

Agnostik insanlar **tanrının** varlığına dair bir kanıt olmadığına inanırlar.

Agnostic people believe that there is no proof of **God's** existence.

1953. saldırı [n] *attack*

Orta Doğu'daki bombalı **saldırı**lardan dolayı birçok sivil hayatını kaybetti.

Lots of civilians died because of bomb **attacks** in the Middle East.

1954. işten [adv] *from work*

İşten erken çıkıp eve geldim.
I got home **from work** early.

1955. hayatımın [n] *of my life*

Hayatımın her dakikasını kocamla geçirdim.
I have spent every moment **of my life** with my husband.

1956. gelebilir [v] *may/can come*

Misafirimiz yarın **gelebilir**.
Our guest **may come** tomorrow.

1957. aşağıda [adv] *down*

Her yeri aradık, **aşağıda** hiçbir şey yok.
We have searched everywhere, there is nothing **down** there.

1958. Emre [n] *Emre* (masculine name)

Emre kendini iyi hissetmiyor.
Emre doesn't feel well.

1959. domuz [n] *pig*

Minik **domuz**unu veterinere götürdü.
She took her little **pig** to a vet.

1960. adil [adj] *fair*

Herkes bilir ki hayat **adil** değildir.
Everyone knows that life is not **fair**.

1961. öldürdün [v] *you killed*

Babanı neden **öldürdün**?
Why did **you kill** your father?

1962. topu [n] *the ball*

Futbolcu **topu** taca attı.
The soccer player threw **the ball** out of bounds.

1963. yaptığımı [ptcp] *what I do/did*

Onu görünce ne **yaptığımı** bilmek ister misin?
Do you want to know **what I did** when I saw her?

1964. diyeceğim [v] *I will tell*

Sana bir şey **diyeceğim**.
I will tell you something.

1965. top [n] *ball*

Top çok ağır.
The **ball** is quite heavy.

1966. süredir [adv] *for {time}*

Bir yıldan fazla **süredir** bu işi yapıyorum.
I have been doing this job **for** more than a year.

1967. söylemedim [v] *I didn't tell*

Bu benim hatam, her şeyi biliyordum ama sana **söylemedim**.
It's my fault, I knew everything, but **I didn't tell** you.

1968. memur [n] *officer*

Memur, birinin kefaletimi ödediğini söyledi ama kimin yaptığını bilmiyorum.
The officer told me that someone bailed me out, but I don't know who did that.

1969. sor [v] *ask*

Hadi bir oyun oynayalım. Bana bir soru **sor**.
Let's play a game. **Ask** me a question.

1970. başlayalım [v] *let's begin*

Toplantıya **başlayalım**.
Let's begin the meeting.

1971. ismi [n] *his/her/its name*

Onun tam **ism**ini bilmiyorum.
I don't know **his** full **name**.

1972. gibisin [postp] *you are like*

Çölün ortasındaki serap **gibisin**.
You are like a mirage in a desert.

1973. sevdiğim [ptcp] *that I like*

Sevdiğim insanları incitmek istemiyorum.
I don't want to hurt people **that I like**.

1974. başı [n] *his/her head*

Başını yastığa gömdü ve ağlamaya başladı.
He buried **his head** into the pillow and started crying.

1975. bahse [adv] *to bet (used with a verb)*

Bahse girerim herkes dün olan olayı konuşuyor.
I **bet** everyone is talking about the incident that happened yesterday.

1976. şans [n] *chance*

Onun bu ülkeden kaçma **şans**ı hala var.
He still has a **chance** to escape from this country.

1977. deme [v] *don't tell*

Fatma'ya bunun hakkında bir şey **deme** lütfen.
Don't tell Fatma anything about it please.

1978. evden [adv] *from home*

Evden okula tüm yolu yürümek çok zor.
It is so hard to walk all the way to school **from home**.

1979. söylediğim [ptcp] *that I said*

Söylememem gereken şeyler **söylediğim** için özür dilemek istiyorum.
I want to apologize for things **that I said** that I shouldn't have.

1980. söylemek [v] *to tell*

Onlara gerçeği **söyleme**ye utanıyorum.
I am ashamed **to tell** them the truth.

1981. yapın [v] *do*

Dediklerimi hemen **yapın**!
Just **do** what I say!

1982. bilmiyoruz [v] *we don't know*

Bu adamın nereden geldiğini **bilmiyoruz**.
We don't know where this guy came from.

1983. kenara [adv] *aside*

Beni bir **kenara** çekip çocukluğunu anlatmaya başladı.
He took me **aside** and began to talk about his childhood.

1984. izin [n] *permission*

Müdürün odasına **izin**siz giremezsin.
You can't enter the manager's room without **permission**.

1985. Burak [n] Burak (masculine name)

Burak sigarayı bırakmaya çalışıyor.
Burak is trying to quit smoking.

1986. Yağmur [n] Yağmur (feminine name)

Yağmur ikiz kardeşi için bir elbise aldı.
Yağmur bought a dress for her twin sister.

1987. Alman [n] *German*

O bir **Alman** subayına aşık oldu.
She fell in love with a **German** officer.

1988. ışık [n] *light*

Kardeşim karanlıktan korktuğu için uyurken **ışıkları** açık
bırakıyor.
My brother leaves the **lights** on while sleeping because he is afraid
of the dark.

1989. kulağa [adv] *to ear*

Ses dalgaları önce dış **kulağa** girer.
Sound waves enter **to** the outer **ear** first.

1990. istedin [v] *you wanted*

İşlerin bu kadar kötüye gitmesini sen **istedin**.
You wanted things to get this bad.

1991. zevk [n] *pleasure*

Sizinle çalışmak bir **zevk**ti.
It was a **pleasure** to work with you.

1992. kurban [n] *sacrifice; victim*

Genç kız, soğukkanlı bir katilin **kurban**ıydı.
The young girl was the **victim** of a cold-blooded murderer.

1993. ettik [aux] *we did* (auxilary verb used with nouns)

Tüm gece **dans ettik**.
We **danced** all night.

1994. başla [v] *start*

Gözlerini kapat ve saymaya **başla**, ben saklanacağım.
Close your eyes and **start** counting, I will hide.

1995. etmem [aux] *I don't* **(auxilary verb used with nouns)**

Ben barıştan yanayım, insanlarla kavga **etmem**.
I seek peace, I **don't** fight with people.

1996. zamanında [adv] *in time*

Oraya **zamanında** varmak istedik ama trafikte sıkıştık.
We wanted to be there **in time,** but we were stuck in the traffic.

1997. yüzü [n] *your/his/her face*

Bebek o kadar tatlıydı ki bütün **yüzünü** öptüm.
The baby was so cute that I kissed her all over **her face.**

1998. gelmez [v] *won't come*

Konsere giderken onu aradık ama bence **gelmez**.
We have called him on the way to the concert, but I think he **won't come.**

1999. oturun [v] *sit*

Siz burada **oturun**, biz bir saat içinde geleceğiz.
You guys **sit** here, we'll come in an hour.

2000. kızgın [adj] *angry*

Bana **kızgın** mısın?
Are you **angry** with me?

CONCLUSİON

And thus, we've finally reached the very end of this wonderful list of the 2000 Most Common Words in Turkish! Be glad: your vocabulary has been greatly increased, and, as we mentioned before, if you've properly studied these words, then you will have developed your understanding of non-fiction to 84%, your fiction to 86.1%, and your oral speech to 92.7%. Those are incredible numbers, considering how important the understanding of vocabulary is when learning a new language, and using that to communicate in new languages and with different cultures.

While you've been studying this great list, you may have noticed the similarities and differences between our beloved English and the Turkish language—the major difference is in the abundance of suffixes added one by one to the root word. But, again don't be discouraged by this fact. The long way to Fuji starts with the first step, and you've made at least two thousand!

If you feel you've made progress in Turkish, we're happy to have helped you and hope to see you again soon; we'll surely meet again in future books and learning material.

So, take care and study hard, and don't forget the 4 tips we gave you at the beginning if you want to become a pro in Turkish!

- Practice hard!
- Don't limit yourself to these 2000 words!
- Grab a study partner!
- Write a story!

With that said, we've covered every single thing. Now go out and learn some more Turkish—you're already more than halfway there!

PS: Keep an eye out for more books like this one; we're not done teaching you Turkish! Head over to www.LingoMastery.com and read our free articles, sign up for our newsletter and check out our Youtube channel. We give away so much free stuff that will accelerate your Turkish learning and you don't want to miss that!

If you liked the book, we would really appreciate a little review wherever you bought it.

THANKS FOR READING!

Made in the USA
Middletown, DE
31 January 2022

60034151R00166